KB096274

NO.1 : 삶, 여행

NO.1 : 삶, 여행

Happiness, I'll lend you. Be happy unconditionally.

사과나무 에세이

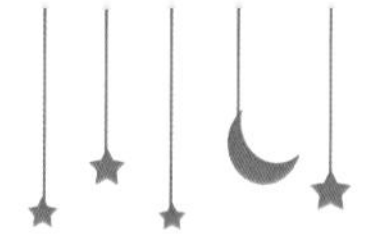

PROLOGUE

사랑하는 나의 아빠에게

사랑하는 나의 아빠께 이 책을 바칩니다. 늘 고민하는 사과나무의 삶에 햇빛가득, 사랑가득 자양분을 듬뿍 주신 한 인간으로서도 존경하는 아빠께 이 책을 바칩니다.

아빠 기억나요? 어렸을 때 제가 집에 있었을 때 궁금해하는 호기심을 채워주시기 위해 사자성어 책도 방안으로 슬며시 넣어주시고 백과사전도 사주시고 아주 큰 어항에 물고기들도 길러주셨죠. 그 어항청소 힘들었지만 아빠와 함께한 모든 순간에 감사하고 또 감사해요. 초등학교때 맨날 저녁늦게까지 수학경시 공부할 때도 사과나무가 원하면 하라고 하셨잖아요. 무엇을 하든 스스로 할 수 있게 힘을 길러주셔서 막내딸이 이제 아빠 나이가 됐어요. 나만 아빠코 닮아서 모공도 엄청 큰데 오늘 피부샵에서 내일 세수하라는데 벌써 아빠 보고싶어서 울어버려서 결국 세수를 해야하네요. 그래도 그리워할 수 있음에 감사합니다.

같이 갔었던 박물관, 어린이날마다 갔던 여의도공원 늘 생각나서 가슴에 남아있어요. 4남매 기르느라 고생도 많으시고 마지막까지 손에서 책을 놓지 않은 아빠! 제가 병원에 계신 10년동안 큰글씨책 늘 빌려다 드렸잖아요. 하늘에서 제 책 꼭 읽어주시고 기특하다고 칭찬도 해주세요. 많은 사람들에게 가슴이 울리는 책을 쓸께요.

사과나무는 야경을 좋아한다. 정작 본가에 있었을 때 한강뷰였는데 공부하느라 보지 못했던.. 한국사회는 너무 줄서고 경쟁하고 그 무리안에 있으면 그것이 당연히 여겨져서 자신이 원하는 것이 무엇인지 모르고 우물안 개구리처럼 내가 익고 있고 삶아지고 있다는 것을 모르고 번아웃되곤 한다.

사과나무는 그와 다른 삶을 살고 싶었다. 다행히 아빠의 지지로 그 삶을 실천할 수 있었다. 조용히 지켜보시고 내게 필요한 부분은 신문의 한귀퉁이를 잘라서 주시며 선택해서 찾아보게 해주신 교육, 할아버지와 아버지 대를 이어 제가 그러한 교육을 감히 흉내내고 있다.

사과나무

이탈리아 피렌체

CONTENTS

안녕 이태리!

이탈리아
*
소렌토, 로마, 살레르노, 폼페이

트레비 분수에 동전을 던지면 다시 로마에 오게 된다는 전설처럼 나는 트레비 분수에 동전을 두 번 던지고 세 번의 이태리를 경험하게 된다. 코로나가 약간 나아졌을 때 조카와 여행을 가기로 해서 알아본 첫 여행지도 서유럽! 많은 여행의 시작은 서유럽이지 않을 까 싶다. 처음 서유럽 특히 롬(Rome)은 내가 대학원때였다. 보고서를 잘 쓰던 나는 무료 서유럽여행을 획득했고 그렇게 롬과 만난다.

롬은 로마로도 불리우고 모든길은 로마로 통한다는 말처럼 유럽의 관문이었다. 대학원때도 크로아티아를 갔을 때도 크루즈까지 로마는 누구에게나 열려있는 보석같은 곳이었다. 떼르미네역에서 바로 있었던 콜로세움도 놀랍고 늘 미소를 가득 띠고 웃어주는 이탈리아사람들도 멋졌다. 나도 누군가에게 그런 사람이 되어주고 싶다.

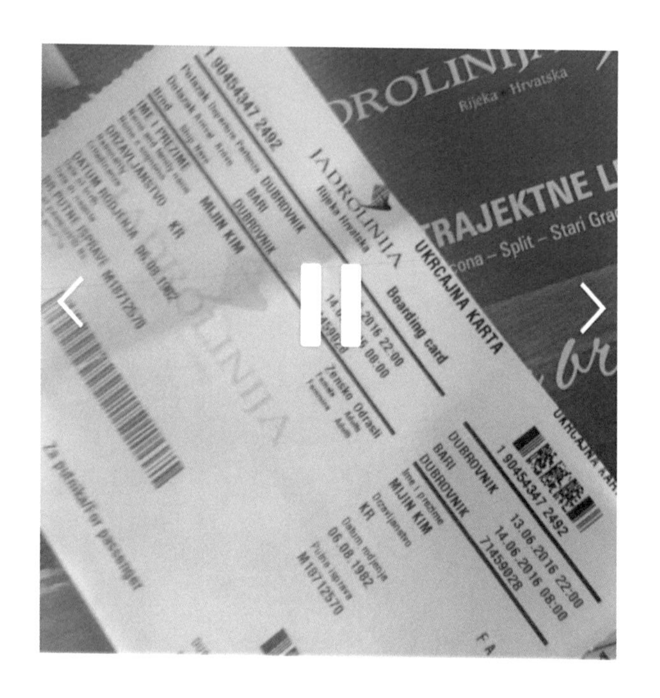

이태리사람들은 옷을 다 잘입는 다는데 주황색바지와 눈을 뗄 수 없게 만드는 옷들은 멋졌다. 이대에서 사간 원피스를 로마에서 다른 사람이 입고 있었을 때 놀람이란..한국사람임을 직감했다. 반가웠지만 일정이 있는 여정은 틈이 없다. 그때부터였던 거 같다. 자유여행을 꿈꾸며 즐거웠던 때, 누군가도 내 책을 읽고 행복한 여행을 꿈꾸면 같이 그 꿈속에서 놀고싶다. 그럼 난 늘 내가 사랑하는 여행 안에서 살게 될테니 말이다. 이렇게 여행을 좋아하면 여행가이드를 해보라고 하지만 난

내 눈에 넣고 즐기고 싶고 단지 글로 자취를 남기고 싶다.

오늘 다섯 개의 쌍무지개글을 보고 떠올린 쏘렌토, 100가지맛의 아이스크림은 아직도 생각만해도 흥분된다. 요즘은 다양한 맛의 보편화되었지만 그 시절에는 너무 충격받은 사건이었다. 크로아티아를 가려다 중간에 우연히 간 소렌토 덕분이다. 쏘렌토는 1유로의 기쁨을 알려준 곳이었다. 밤마다 맛으러 나갔던 쏘렌토 그립다.

크로아티아로 가면서 폼페이를 갔다. 얼마나 오랫동안 기다린 꿈꾸던 곳이었던지 가서 왕큰레몬에 놀라고 폼페이의 고즈넉함이 맘에 쏙 들었다. 이때부터 난 지방소도시를 사랑하게 되었다. 어떤 여행지를 가던지 미리 시간과 휴무일을 알아보는 것이 필수다.

크루즈여행을 갔을 때 우리나라만 관공서나 도서관이 월요일 휴무인줄 알았는데 세계적으로 거의 그랬다. 주말에 사람많아서 월요일에 쉬는 것은 국룰이 아니라 세룰이었다. 그래도 교차체크는 필수다. 이태리에서 바리, 세계최초의 의과대학이 생겼던 살레르노, 베로나 등 너무 가슴에 남았던 소도시들..지금 내가 소도시에 있는 이유다. 천천히 즐기는 삶을 살고 싶다.

Tip

학교에서 보내주는 여행을 노려보세요~ 각종 공지사항 필독!! 소렌토는 부자들의 휴양지래요; 전 그것도 모르고 제가 가고싶은 곳을 고르다 간 거라, 책참고하고 고른거라 몰랐어요. 그리고 현지인들만 아는 것들이 있으니깐요. 그시절에 콜택시부르면 오는 가격까지 냈던 저, 호텔 하루치 비용나와서 좌절했던 기억 현지인 말이 또 틀린 사건.. 양면테이프같이 늘 놓아진 내 상황^^

자허토르떼 in 히칭

오스트리아
*
비엔나

이탈리아처럼 많이 가본 곳이 나에게는 오스트리아다. 제일 친한친구가 공부를 해서 거의 초대를 받아 가서 관광객모드보다는 거의 현지인모드였던 것 같다. 관광객으로서의 여행과 현지인으로의 삶은 명백했다. 친구는 인종차별을 당했봤다고 했고 난 당해본 적이 한번도 없었다. 한국에서 작아 어리다는 무시는 받아봤지만 말이다. 친구는 일본유학을 하고 비엔나로 교환학생을 가서 꽁꼬르디아무도회에서 남편을 만났다고 했다. 음..연하라는데 난 잘 모르겠다. 오스트리아는 딩크족도 많아서 나라에서 26살까지 양육비를 준다니 우리나라도 제도적 보완이 필요하겠다. 지금은 아이를 낳겠다고 준비한다고 연락이 끊겼지만 한때는 친했다. 그래서 일본도 엄청 자주 갔다. 우동먹자고 도쿄에서 보자고 한

때가 엊그제같은데 이제 원전으로 일본은 가기가 어렵게 되었다. 비엔나는 매년 1번 씩 그렇게 친구가 아이를 준비하기 전까지는 갔다. 이탈리아처럼 여러도시를 간게 아니라 거의 현지인급으로 오랫동안 비엔나에 있었다. 친구네 집은 히칭이라는 역주변인데 바로 앞에 쉘부른공원이라 매일 가서 산책을 하고 즐겼다. 비엔나커피는 비엔나에 없다는 사실만 알게되었다. 그래도 친구에게 물어보니 멜랑쥐커피가 그나마 비슷하다고 했다. 중국에는 실제로 자장면이 없는 것과 비슷한 모양이다.

비엔나에서 한적한 전원생활을 하고 친구네 친척분이 오페라극장직원분이라 90퍼센트 할인된 티켓으로 각종 공연들을 본 것이 지금 생각해보면 너무 좋았다. 2-3달 머물기도 해서 비엔나 구석구석은 지금 내가 본가 구석구석을 아는 것처럼 훤하다. 한국은 금방 다른 건물로 바꾸지만 에어컨도 설치하기 어려울 만큼 두꺼운 벽이지만 문화를 지키고자 하는 비엔나 사람들을 소망을 따라 비엔나는 계속 비엔나였다. 늘 그 자리에 나무처럼 서있어서 언제든 오라고 이야기해주는 것 같다.

비엔나 소세지도 한국에서 유명해서 영양교육전공자답게 물어보았는데 아예 다른 함량이어서 머쓱했던 기억이 있다. 소세지는 독일도 유명한데 처음의 번역이나 적용이 얼마나 중요한지 새삼 알게 되었다.

우리나라는 미국식으로 번역되는 것들도 많은데 프라하에서 기차예매를 하다가 프라하가 없어서 당황했는데 친구 남편이 프라끄로 찾아야한다고 했다. 내 생각 안에서의 내 생각, 이런 것이 진정한 여행에서의 깨우침이 아닐까?

친구가 비엔나 대학교에서 교환학생을 하고 석사과정을 공부해서 비엔나 대학 도서관을 갈 일이 많았는데 도서관이 그냥 박물관이다. 내부까지는 어려웠지만 안뜰에서도 공부하고 자유로운 방식을 느낄 수가 있었다. 난 여기서 임용고시 공부도 했었다. 워낙 티오가 없는 전공이라 처음에는 열심히 했지만 우리 전공 티오를 거의 없앤 것을 보고 나라에 기대하는 바가 없어졌다. 문득 일반사회전공 티오를 0으로 만들어서 장관 독대를 해서 1명의 티오를 확보했던 학생분이 생각난다. 계획이 없는 나라같기도 했고 그래서 나는 26살까지 양육비를 받고 국회의원들이 존경받는 비엔나여서 약간 부러웠다.

유관순언니가 어떻게 지킨 대한민국인가..참 생각이 많아지는 날이다.

오스트리아는 [키스]로 유명한 클림트의 고향이다.

이 화가를 좋아해서 관련된 서적을 거의 다 읽은 것 같다. 부모님께서 금세공업자여서 금을 자유자재로 사용할 수 있었다고 하는데 금색을 좋아하는 나와 그래서 통했나 싶었다. 클림트의 그림 중에 알려지지 않는 그림을 제일 좋아한다. 나만 아는 비밀같은 거 같다.

에곤실레도 유명한 오스트리아 화가다. 선을 이용한 스케치가 많이 유명하다. 그런 그림뿐만 아니라 다른 그림들도 많이 그렸는데 전체를 알아야 그 사람이 바로 보인다는 생각이 들었다. 화가의 고향에서의 화가의 그림과의 조우 가슴 떨리는 경험이다.

Tip 친구찬스~

내 생애 최고의 야경 부다페스트

헝가리
*
부다페스트

친구와 함께 웨딩드레스투어를 하는 바람에 특이하게 헝가리를 가게 되었다. 헝가리는 동유럽이라 그런지 물가도 저렴했지만 은행을 이용하는 사람이 극히 드물어서 아니따와 함께 가지 않았다면 전혀 몰랐을 세상이었다. 아니따는 모자공장을 이어받아 하고 있었는데 그날도 루마니아 출장 후에 만났다. 같이 은행문을 들어서자 가드분께서 문을 따주는 기이한 광경! 그렇게 헝가리의 은행을 가보았다.

외국을 가면 놀라는 것은 크기다. 무슨 콜라가 2리터부터고 사람들은 다 큰지... 늘 관광지에서 학생이냐고 묻는데 난 성인인데.. 예전 대학원때 아는 동생은 그렇게해서 저렴한 표를 끊던데 난 그러고 싶지 않았다. 그래도 옷이나 신발은 아이코너에 있어서 품절되지 않는 즐거운 경험을 했다.

헝가리에서 며칠 묵을 겸, 드디어 호텔에서 자보나 했는데 소피텔을 꿈꿔왔으니 말이다. 아니따가 세컨하우스에서 자라고 해서 청을 거절하지 못해 아니따네로 갔다. 난 운전면허도 없고 몹시 길치다. 차는 관심도 없었는데 갈색, 처음 보는 차색깔에 홀릭되었다. 하지만 기사님을 대동하는 아니따는 마트에서 본인 차를 못찾아 차를 찾는 해프닝을 겪었다. 나도 길치고 친구도 그렇고 특이한 경험이었다.

이번년도에 잠실에 소피텔이 처음 생겨서 그때 못갔던 한을 풀었다. 야경이 예뻤다. 엘리베이터가 쇼핑몰처럼 여기저기 있고 방향이 다 달라서 어쩔 수없이 구경해야하는 구조라 엄청 길을 헤맸는데 직원분이 스윗하게 찾아주셨다. 예전에 콘래드호텔 헬스장다닐 때는 헤맬 때 그런 분이 없었는데 처음 오픈해서 그런가 모르지만 엄청 친절해서 기분이 좋았다. 결국 할 일은 하게 되는 가 싶다.

아니따의 가이드로 유람선에서 식사도 하고 그때의 야경이란 아직도 내 맘속에 있다. 어부의 요새를 바라보면서 들었던 음악과 우정은 아직도 잊혀지질 않는다. 아니따네 오빠랑 소개팅을 안해서 미안했지만 난 그때 남친이 있어서 어쩔 수가 없잖아. 그때 만났더라면 내

인생이 달라졌을까? 난 그때 아빠를 생각해서 할 수 없었던 일이었을거다.

비엔나에서 석사공부를 한 내 친구는 어렸을 때 거의 외동처럼 혼자살아서(참 특이한 케이스다.) 나도 비엔나에 정착했으면 했는데 그러지 못했다. 그래도 늘 한두어달씩 친구가 머문 나라에 있었으니 그나마 덜 미안하다. 나도 내인생이 있고 결정권이 있으니 말이다.

하도 외국으로 싸돌아다녀서 8살이나 어린 막둥이 넷째 남동생이 자기도 데리고 가달라고 했다. 남동생과 비엔나도 가고 같이 헝가리 갔다가 기차를 놓쳤는데 나 혼자 왔더라면 경험하지 못했을 일을 경험했다. 동유럽은 기차연착이 흔하다고 하면서 로버트는 비즈니스를 할 수 없다고 했다. 나도 헝가리를 여러번 왔지만 경험해 본 일이다. 그래도 그덕에 호스텔이란 곳에서 처음 자보고 내 여행 역사에 새로운 문화를 접하게 되었다. 갑자기 연착된 기차로 인해 단돈 우리나라돈으로 만원하는 호스텔에서 그나마 자리가 있어서 자게 되고 숙소에서 잠만 자는 나는 이 숙소를 좋아하게 되었다. 그렇게 갑자기 생긴 사건으로 남동생과 같이 헝가리 유명 온천인 세체니온천에 가고 몸도 풀었다. 여행은 새로운 변수가 생겨서 스펙타클하고 예측이 어렵지만 우연이

란 손님을 만나게 되어서 새로운 삶을 경험할 수 있어서 즐겁다. 우리나라 코레일처럼 비엔나에는 우베베가 있는데 음식도 레스토랑보다 잘나와서 난 기차여행의 묘미도 느꼈다.

Tip

이번 한국에서 소피텔여행은 조카와 갔다. 사과나무는 나중에도 쓰겠지만 싱글차지 아까워서 조카들을 자주 데리고 다닌다. 역사경험도 할겸해서였다. 아빠가 잘 해주셨던 행동들이다. 이번에 제도를 잘알아서 여행로그라는 것을 이용하여 나라에서 여행비지원을 받았다. 소피텔은 커피도 19000원이나 하고 하루 숙박비도 30만원가량인데 지원을 받다니 기뻤다.

런던 사우스햄스턴 사이

영국
*
런던, 사우스햄스턴

지금도 뮤지컬 음악을 들으면서 글을 차분히 써내려 가고 있지만 음악을 들을 때면 런던에서 보았던 뮤지컬이 생각난다. 이화여고 시절 문예반이여서 연극, 뮤지컬도 해보아서 나에게 뮤지컬은 삶이다. 아이러니하게 난 노래는 못한다. 어렸을 때 몸이 약해서 아빠가 곁에 있었을 때는 음악을 못듣게 하셨다. 돌발성 난청이란 병명이 없을 때 걸렸으니 말이다.

다양한 소리는 듣지 못하지만 그래도 이어폰을 끼지 않으면서 듣는 것은 좋다. 뮤지컬은 2층이 음향이 좋다고 한다. 1층에서 한번 2층에서 한번 이렇게 뮤지컬은 2번 보기도 한다. 안보였던 것이 보이기도 하고 즐겁다.

서유럽 여행의 시작은 인이 대부분 런던이다. 뮤지컬의 본고장에서 관람할 수 있는 천우신조의 기회에서도 시차는 독약이니 스케줄조절을 잘하시길 바란다.

누구나의 삶에 있어서 사랑은 늘 화두다. 난 그런 사랑이 드라마 주인공처럼 엄마의 반대에 부딪혀서 많이 놓쳤다. 그럴때마다 날 일으켜세운 것은 그림이었다. 그림은 나에게 치료제이다.

영국의 대영박물관에서 그것을 경험한 것은 아니다. '아 이런 것도 있구나. 다른 나라의 전리품을 돌려주지 않고 전시만 하면 다인가 '라는 생각이 들었다.

난 도슨트 투어를 선호하는 편이다. 아무래도 설명을 듣는 것과 그냥 보는 것은 너무 다르니깐.

박물관, 미술관은 투어를 신청해서 보는 편인데 너무 재미있다. 아이러니하게 난 영어를 들으면 해석이 가능한데 내가 정작 말은 잘못한다. 한국교육의 폐해이기도 하고 환경적 영향이기도 하겠지만 말이다. 지금 GRE준비하는데 작문을 못해서 열심히 또 40줄에 공부중이다. 역시 배움은 끝이 없고 즐겁다.

난 런던이 그닥 특이하게 다가오지 않았는데 다른 사람들은 좋은 가부다. 취향은 다양하니 남동생은 비엔나와서 굳이 영국을 가겠다고 해서 혼자 보냈다. 영국가는 비행기를 예약하는데 로버트가 일찍 해야한다고 해서 왜그러나 했더니 비엔나에서 영국으로 버스타듯이 출근하는 비행기가 많아서 미리 예약을 해야한다고 했다. 나보다 더하군. 나도 어디든 가지만 비행기타고 출근은 어색하다. 그만큼 영국의 물가는 살인적이다. 파운드의 위엄인가. 그러면 머하나 남의 것을 뺏았아서 그런 것을. 제국주의 시절이라고 해도 음.. 난 잘 모르겠다. 나같으면 못그럴거 같은데

오히려 사우스햄스턴은 방탄노래가 나와서 너무 좋았던 도시로 기억된다. 세계 어디를 가도 방탄보유국이라 물으니 역시 방탄은 방탄이다. 처음 과외할 때 방탄소년단 이름이 촌스럽다고 생각한 나를 반성한다. 학생들 방마다 붙여 있어서 호기심이 갔는데 춤추는 정국이를 보고 반했는데 언어보다 춤이 전세계를 흔들줄이야. 역시 물질적인 힘보다는 정신적인 문화의 힘을 새삼 다시 느낀다.

영국은 내가 그렇게 좋았던 음식도 없었다. 대표적인 음식이 피쉬앤 칩스도 생선을 못먹으니 아예 먹지를 못했다. 그때는 다같이 대학원생들과 같이 움직여야해서 개인의 의견이 없었으니 어쩌면 당연한 결과이다.

Tip

저는 영국을 그닥 애정하지 않았지만 다른 사람들은 엄청 좋아하더라구요. 뮤지컬도 그렇고 미리 예약해주세요~마시는 차도 저렴하고 이쁜 관광지 상품도 많아요. 전 늘 사서 선물하는 편인데요. 가장 나중에 사길 추천하지만 단체여행에서는 다시 언제 올 기회일지 모르니 미리 구매하시는 것이 맘이 편해요.

영국 런던 런던아이

뮤지컬

빠리? 파리

프랑스
*
파리

오 샹제리제~ 오 샹젤리제

이래뵈도 난 제2외국어로 불어를 했다. 우리때는 촌스럽게 의대안갈거면 불어였다. 이런 웃긴 선택이 있나. 난 피를 두려워 하는 1인으로 망설임없이 불어였는데 그게 살면서 도움되었던 곳. 프랑스는 자존심이 센 나라라며 영어로 물어봐도 불어로 대답한다던데 머 나는 그런 일은 당하지 않았다.

프랑스대혁명이 시작된 곳! 역사시간에 대단하다고 생각했는 데 내가 그 나라에 발을 딛다니 감개무량했다. 역시 르부르 박물관을 구경하고 가이드님이 설명해주신 “나폴레옹 대관식”그림을 보고 감탄했다. 저런 사연이 있었구나 라는 생각이 들면서 마음이 아팠다. 보이는 것이 전부가 아닌 법을. 그리고 이집트관도 멋졌고 코로 뇌와 모든 장기를 뺀다고 하여 충격을 받았다. 이집트를 너무 좋아해서 관련 책을 다봤는데 들어 본 적이 없는데 역시 역사적 사건도 계속 밝혀지는 구나. 좀 더 공부하고 싶다는 생각이 들었다. 아니나 다를까 가이드님께서도 그런 계기로 고고학을 다시 공부하고 미술사를 다시 공부한다고 하셨다. 역사를 좋아하는 나로서는 지금의 사진같은 그림을 해석하면 좋았다. 불행히도 그림은 못그리지만 말이다.

몽마르뜨 언덕에서는 아직도 화가들이 그림을 그려준다. 시간이 없어서 그냥 왔는데 너무 아쉬웠다. 과거의 프랑스와 마주친 순간 "정말 너무 좋다." 라는 말만 생각난다. "tre bian"

에스카르고, 달팽이요리를 벼르고 별렀다. 골뱅이맛이라고 생각하면 거의 가깝다. 양념이 느끼했지만 달팽이 요리용 그릇까지 있는 것을 보니 감탄이 절로 나왔다.

프랑스에서 제일 기억에 남는 건 바또므슈를 타고 본 야경이었다. 노트르담 대성당도 지나가고 센강의 야경은 아직도 생생하다. 지난 일들도 추억해보고 반짝이는 강도 보고 힐링 그 잡채!!

좀 떨어진 곳에 있었던 베르사유의 궁전은 요즘은 미리 예매한다고 했는데 내가 갈 때만 해도 사람이 그다 많지 않아서 금방 들어갔다. 베르사유의 궁전에는 화장실이 없어서 오물을 피해 하이힐을 신고 향수를 뿌릴 수밖에 없었다고 하는 슬픈 전설이 있다. 전설이 아니라 사실이지만 이상하다. 문명사에서 100% 완벽한 곳은 없지만 그래도 명색이 프랑스인데 이렇게 되다니 전화위복이라고 했던가 그것으로 하이힐과 향수가 유명해졌다고 하니 사람이 대단해 보인다. 친구가 유학갈 때 나도 향수배우러 프랑스 향수 학교인 '이집카'로 가고 싶었는데 우리는 4남매로 내가 가면 다가고 싶어하고 아빠는 가족들과 떨어지고 싶지 않다고 하셔서 말았는데 지금 내 방에 있는 50여개의 향수를 보고 있자니 미국유학말고 프랑스 유학을 생각해야하나 싶다. 하지만 미국이 장학제도가 넘사벽으로 좋다. 커피쿠폰도 중복이 안되는데 중복이 되는 제도는 너무 좋다. 아는 동생의 동생이 제도를 만드는 과를 다닌다는데 처음에는 "뭐지?" 했는데 이제야 이해된다. 시스템이 정말 중요하다. '그것이 나라의 힘의 차이가 아닐까 ?'하는 생각도 해본다.

Tip

여러 책에서 봤는데 프랑스같이 인기있는 관광지는 쿠폰이 많더라구요. 전 이용을 비록 못했지만 바또므슈도 무료쿠폰을 본 적이 있어요. 꼭 타세요~

스페인! 너는 자유다

스페인
*
바르셀로나

대학교의 순위는 그 학교안의 도서관에 의해 결정된다고 하는데 맞는 말인 것 같다. 학부시절 [스페인 너는 자유다]라는 손미나 아나운서의 책을 보고 읽어내려 갔던 기억이 난다. 지금은 구남친의 고향이지만 말이다.

어떤 것이든 사람의 마음, 모양이 다르듯 그 사람이 그것을 기억하는 것, 또한 다르다.

첫 번째, 스페인은 학부때 언니와 같이 갔던 기억이 있다. 구엘공원을 너무 가보고 싶어서 선택했던 스페인, 많은 단체관광이 그렇듯이 정해진 일정으로 진행되었다. 프라도미술관도 가고 츄러스도 먹었다. 몬세라또 수도원에서 좀 더 머물고 싶었지만 그렇지 못해 아쉬웠다. 다양한 곳, 꼭 가야하는 곳은 가지만 여유는 없는 단체여행이었다. 그래도 언니랑 가서 개인사진을 찍었다.

이렇게 짧게 정리가 되다니 언니가 좀 힘들어 해서

천천히 즐긴 여행이기도 했다. 지금까지 갔던 단체여행 중에 제일 많이 갔던 여행이었는데 40명 정도였던 것 같다. 그래도 한국인답게 빠르게 정확히 남에게 피해를 입히지 않고 여행을 했다. 팀원중에서 캐리어를 4개나 가져온 커플이 있었는데 아니나 다를까 여행을 처음 와보았다고 했다. 여행은 짐챙기기가 일순위인데 가볍고 간단하게 현지에서 챙길 수 있는 것은 안챙기는 것이 제일 좋다. 여행가서는 시차와 음식이 중요한데 시차는 자둘때 자두고 하루 열심히 돌아다니면 나름 적응을 했다. 음식은 짧은 여행은 별로 문제가 되지 않지만 내가 다녀온 크루즈처럼 3달짜리는 아주 큰 문제로 다가온다.

그 문제가 다가오기 전까지 모른다는 게 함정이다. 그래서 준비가 필요한 것이다. 김치캔도 나오고 책에서 배운 팁인데 컵라면같은 경우 부피를 줄이기위해 라면스프따로 라면면 따로 봉지에 싼다. 그리고 냄비하나 가벼운거 챙기면 된다. 그걸 끓이기 위한 멀티콘센트도 필요하다. 하지만 나중에 호주에서도 말할 수 있겠지마 호주 크루즈 탑승할 때 그동안 모았던 라면스프를 다버린 사건이 떠오른다. 자국의 환경을 보호하기 위해 육류그림은 (소나 돼지) 반입이 되지 않았던 것이다. (며칠전 인스타에서 본 것이 있는데 맥스봉도 맛에 따라

반입이 되는 것이 다르다니 웃프다.)

그렇게 지겨운 스테이크 기행기는 시작되었다. 스페인은 크루즈로 또 다녀왔다. 그래도 나만의 여행을 짜면 겹치는 것이 아니라 여행이 더욱 풍성해진다.

두 번째 갔던 스페인은 피카소 미술관에서 다 보냈다. 시간이 없어서 스페인 대표음식인 타파스도 못먹었다. 피카소미술관은 내가 모르는 작품을 보느라 너무 행복했다. 하나를 안다고 해서 다 안다고 할 수는 없다. 그러한 비밀스러움이 나는 좋다.

알다시피 피카소는 처음에 글자를 몰랐지만 미술교사인 아버지의 노력으로 나중에 깨우치게 된다. 글보다 그림으로 먼저 받아드려서 런가보구나. 그러한 독특함이 세계적이 거장이 되었구나.

한국이 물론 좋은데 개성을 등한시하고 동질성만 강조할 때 가끔 답답했는데 그런 부분은 피카소에게서 해소했다. 피카소의 [게르니카]로 그 실력에 대해 폄하는 사람들을 보았다. 그것은 의미로 다가가야한다. 차원을 옮긴 아이디어, 그 의미 피카소는 천재다.

미술사 책을 천권은 읽은 것 같다. 책마다 제시하는 부분이 다르지만 그것으로 인해 내 공간이 채워져서 나는 책을 읽는 것이 세상에서 제일 즐겁다.

Tip

피카소 미술관은 바르셀로나 고딕지구에 위치해서 항구에서 엄청 가깝다. 꼭 들리자. 인생이 바뀐 경험을 할 수 있다. 작품이 얼마나 많은지 하루도 부족하다. 한 사람의 귀한 생애를 전체적으로 알 수 있는 경험, 최고다.

mijin250
ăkă_ăsăni님 외 6명이 좋아합니다
mijin250
#카카오프로필하려은데경로가야렬게되냐;#2년전정도인데넘
차야냐ㅜㅜ피카소미술관에서찍은사진드디어찾음#미술관련책
만천권정도는읽고설렌맘에놀았던기억

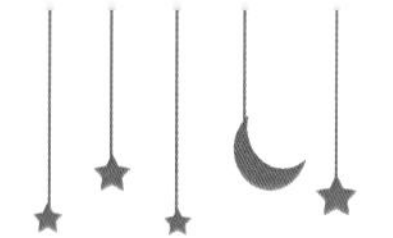

나에게 스위스는 거꾸로 해도 스위스

스위스
*
베른

대학원때 같이 간 언니가 스위스가 제일 좋았다고 한다. 다들 입을 모아 칭찬하지만 난 추워서 그닥 기억에 남지 않는다. 융프라우는 추위의 최고봉이었다. 다른 나라를 가려면 반팔 정도만 챙기면 되는데 스위스를 가려면 겨울옷도 챙겨야해서 여행짐 부피가 커진다. 요즘은 공항에서 외투보관 대여 서비스도 있지만 그당시에는 없었기 때문에 스위스만을 위한 짐꾸리기가 시작되었다.

추운게 세상에서 제일 싫은 사과나무는 아무래도 나무가 안자라서 그런가라는 생각도 했는데 산은 흰눈으로만 덮여있어서 눈까지 부셨다. 간혹 눈알 화상도 당한다고 하니 선글라스는 필수이다. 빛을 보면 눈물이 많이 나서 그때 빛을 보면 색깔변하는 안경이 나왔었으면 좋았을텐데라는 생각을 해본다. 지금은 아주 잘쓰고 있다.

융프라우에서 먹은 컵라면은 그때만 해도 만원이었

으니 지금은 5만원하려나 하는 생각이 들었다. 10개국 정도까지는 옛 외환은행이었던 하나은행에서 환전이 되지만 나라가 많아지면 작은 금으로 바꿔가는 것도 방법이다. 그리고 미국달러도 좋다. 그리고 카드도 해외용으로 가져가야하고 이제는 철수하는 시티은행이 돈을 뽑기가 제일 편했던 기억이 있다.

꼭 환율우대를 받아서 환전하고 한국에서 하고 공항은 비싸니 비추이다. 우리나라가 그래도 정직해서 못느끼셨겠지만 이탈리아 한 환전소에서 내 돈 몇장을 빼서 줬다. 바로 그 자리에서 확인해서 받을 수 있었지만 그런 경우가 꽤 생기니 미리 다 환전하는 편이다. 주거래은행이 환율우대가 좋다고도 한다. 유심칩도 미리 사서 좋고 몇몇 나라는 그 나라가서 사는 것이 낫다고 이야기해주셨다. 늘 친구네 집으로가서 유심칩 경험은 없어서 처음 유심침을 경험했을 때 당황했다. 난 핸드폰을 여러 개 사용하는데 한 폰은 유심을 바꿔 사용하고 하나는 한국과의 연락을 위해 문자매니저를 신청해서 문자를 받을수 있게 준비했었다. 전화는 아무래도 시차로 어려울 수 있으니 말이다. 여행을 가기전에는 준비할 것도 많고 가서도 긴장을 많이 해야하지만 그래도 새로운 경험은 늘 설레고 기대된다.

지금도 여행계획을 세우고 있으니 말이다. 그런데 사우디아라비아는 아무래도 어렵지 않을까 싶다.

Tip

미국달러, 호주달러, 싱가폴달러, 뉴질랜드달러들이 다르듯 프랑도 다르니 늘 확인하자.

벨기에, 그 새로움에 대하여

벨기에
*
브뤼셀

제국주의 열강들이 식민지배를 하면서 펼쳤던 만행은 기가 막힌다. 하지만 우리가 알고 있는 나라들만 그런 것이 아니다. 심지어 백의의 민족이라는 우리나라도 다른 나라에서 그랬다고 하니 가치관과 역사관은 참으로 중요하다. 영국과 프랑스에 밀려 온화해 보이는 벨기에는 고무나무액 채취시 할당량을 채우지 못하면 남녀노소 구분하지 않고 그냥 손을 잘라버렸다고 하니 참으로 화가 난다.

다시 반복되지 말아야할 역사이다. 이런 부분을 먼저 알아서 벨기에는 와플로 유명했지만 정이 안갔다.

교과서에서만 보던 오줌싸개 동상이 1미터도 되지 않은 작은 동상임에 놀라서 역시 인생은 실전이라는 생각이 들었다. 그리고 몰랐던 레이스강국이었던 벨기에의 새로운 모습도 보았다.

내가 호텔 이름은 잘 기억을 못하는데 유럽권은 호텔들이 오래되고 전통적인 것들이 많아서 잘 기억을 못하는 편이다. 그래도 벨기에에서 만큼은 기억이 난다. 본가집 앞에 있는 홀리데이 인 호텔이었기 때문이다. 그것을 보고 체인 호텔인 것도 알게 되었다. 인이라고 하는 것이 자는 곳을 뜻했다. 오랫 외국여행중에 본가에서 느꼈던 따스함을 느꼈다.

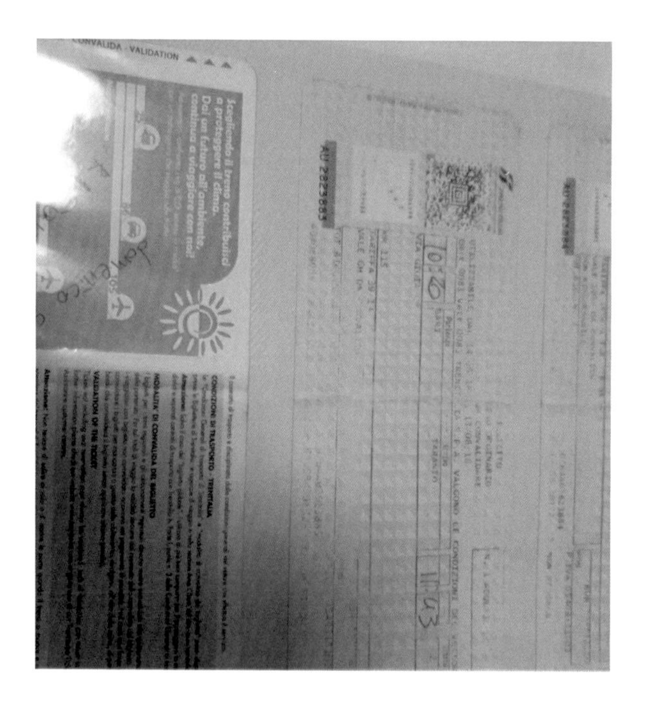

Tip

나라와 나라연결은 유레일패스가 편하다고 책에는 적혀있는데 기차를 한번 경험해보는 것도 좋은데 난 버스가 여행을 다녀보니 편했다. 가이드분도 그렇다고 하시면서 유레일패스는 공짜였지만 한번만 경험했다.

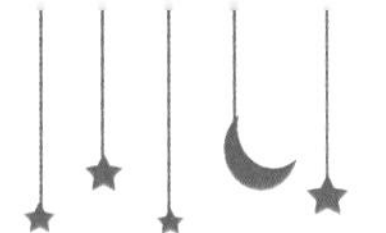

체코 세계3대야경을
자꾸 남동생이랑 보는 이유

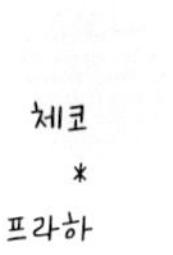

체코
*
프라하

체코는 동유럽에 속한다. 사회주의 국가이고 저렴한 물가로 여행객들에게 인기가 많다. 친구네 간 김에 근처 나라를 많이 도는데 매번 비엔나에만 있으니 심심해서이다. 그런데 왜 자꾸 세계 3대 야경과 로맨틱한 곳은 남동생하고 가는지 별로다. 오히려 내 남동생은 나랑 취향이 비슷한 것은 좋지만 기분은 좋지가 않다. 약간의 장난섞인 투정도 있었지만 그 당시에 난 심지어 남자친구도 있었는데 말이다. 꿈속에서나 만나야지 하는 생각이 들었다. 프라하의 야경은 너무 멋졌다. 혼자 보기 아까울만큼 말이다. 프라하에 스타벅스가 있는데 원래는 체인점 커피숍을 잘안가는데 거기는 꼭 가봐야 할 명소이고 체인점 느낌이 나지 않는다고 해서 가보았다. 고개 중턱에 있어서 만화책에서나 볼법한 비쥬얼의 커피숍이 있었다. 내가 좋아하는 라떼 한 잔하면 천하가 부럽지 않았다. 비엔나에서 기차타고 온 보람이 있었다. 아무리 프라하라고 검색해도 나오지 않았던 프라끄였지만 오고나니 너무 멋져서 다음 버킷리스트에 또 올리고 있었다. 까를교를 지나서 마사지샵들이 즐비했다. 지금도 글을 쓰면서 팔이 저리고 손가락이 아프지만 만성 허리디스크는 나아질 기미가 보이지 않아 마사지를 자주 받는 편인데 마사지 받는 시간마저도 아까웠던 야경이었다. 거기다 안개까지 껴서 어스름한 풍경은 또 새로웠다. 굴뚝빵도 사먹었는데 어찌나 맛이 있던지 비엔나친구의 몫도 포장했다. 어린 새끼돼지를 먹는 레스토랑이 많았지만 차마 마음이 아파서 먹지 못했다. 점점 채식주의자가 되어간다. 남동생도 동의해서 그냥 레스토랑에 들어가서 돈가스와 메인요리를 시켰다. 비엔나에서 유명한 돈가스인데 유럽쪽에서도 유명한가 보다. 이럴 줄 알았으면 투덜되지 않는 친구랑 올걸 하는 생각이 들었지만 친구는 비엔나대학 재학중이라 숙제랴 집안일이랴 바빴다. 나는 늘 친구네 집을 가서인지 인터넷을 폰으로 사용한 적이 없다. 그래도 커피하잔 하면서 밥먹으면서 인터넷을 하는 것도 좋았다. 여행와서 와이파이만 찾는 일은 너무 슬프다. 와이파이 이야기가 나와서 하는 말이지만 포켓용도 있고 한국 통신사에서 해오는 것도 있고 여러 가지 방법이 있으니 선택하길 바란다. 호주와 크로아티아는 난생 처음 유심을 껴서 하는 방법을 썼고 호주는 울나라에서 사는거랑 호주에서 사는 게 가격이 비슷하다고 판매점에서 알려줘서 직접 호주에서 샀다. 일주일, 한달 여러 가지 기간권이 있으니 각자 여행스타일에 맞춰서 해야하는데 난 모르고 제일 비싼 것을 했다. 다 경험이 있고 알아봐야 하는데 말이다. 세계여행 크루즈는 태평양, 대서양을 지나고 해서 와이파이 요금이 몇 백민원 나왔던 것 같다. 어떠한 것도 안터지고 선내에 파는 것만 터졌다. 그러니 크루즈를 탈 것이면 기항지에서 되도록 이용하고 노트북에 영화나 드라마를 다운 받아서 가는 것도 좋다. 와이파이가 되더라도 너무 늦고 시간이 허비되니 말이다. 여행을 하다보면 우리나라 아이티 강국임이 새삼 느껴진다.

이집트 최악과 최고 사이

이집트 * 카이로
오만 * 무스캇

스트레스 수치 최고조의 현대사회에서는 어쩌면 반 미쳐야 살아갈 수 있을지도 모른다. 그동안 내가 하고 싶은 일만 하면서 행복하게 살아서 그런지 며칠전 대학 병원에서의 스트레스 지수는 다이아몬드가 나왔다. 여행은 그런 삶을 만드는 내 원동력이다. 그래도 사과나무는 할 건 다 하고 살아서 공부를 할 때는 또 미친 듯이 한다. 실은 재미있다. 책을 읽는 것도 재미있고 여행 계획짜기도 재미있었다. 하지만 그동안 정리하는 것까지 시간을 내기는 힘들었다. 또 다음 여행에 대해 계획을 세우고 돈을 벌어야 하니깐 그러면서 접하는 여행 정보들..

드디어 나에게 십여년만에 개방되는 이집트는 당장 짐을 싸고 떠나야하는 곳이었다. 모객이 될지 두근반 세근반 가슴은 쿵쾅댔지만 난 떠나게 되었다. 그렇게 고대하던 이집트... 이집트 역사는 미국같은 나라에서는 필수라는데 우리나라에서는 아주 조금 맛보기만 보여주는 것 같다. 하지만 그 임팩트는 대단해서 중학교 미술시간에 동판화를 이집트 신화로 했던 기억이 난다. 뱅스타일의 앞머리에 꽂히고 난 지금도 그 머리스타일이다. 이렇게 자른다고 너가 클레오파트라라며 놀리는 둘째언니도 이제 곁에 없고 이집트 신화는 내 가슴속에 아직도 자리잡고 있다. 최악과 최고의 사이에 아슬아슬하게 걸쳐있는 이집트 애증의 이집트지만 난 다시 이집트를 얼마든지 다시 갈 용의가 있다.

지금 추억하면서도 입이 찢어진다. 좋다. 더워서 더 좋다. 난 추운게 제일 싫어서 그런지 더운 이집트의 날씨도 너무 부럽다. 어제 나에게 첫눈이 처음 내렸는데 눈도 좋긴 하지만 추워서 난 더운 날씨를 심지어 사랑한다.

이집트에서 보았던 피라미드의 전율과 책에서도 알 수 없었던 그 내부관람은 정말 가슴벅찼다. 피라미드 내부를 정확히 묘사한 책은 본 적이 없는데 독자들을 위해 수수께끼로 남겨놔야할지 고민이 된다. 저에게 따로 피드백을 주시면 알려드려야 하나 싶다. 너무 다 오픈하면 그 설렘이나 신기함이 반으로 줄어들지 않을까

라는 염려도 되면서 말이다. 피라미드는 많은 이들의 시크릿한 부분이니말이다.

도굴꾼들의 도굴이 무서워 깊숙이 숨겨둔 왕조의 역사에 접할 때마다 그 경이로움은 이루 말할 수 없었다. 회상하는 지금도 소름이 돋아 곁에 둔 따듯한 라떼를 안아버렸다. 다시 돌이켜 볼 수 있다는 환희!

이집트 정부가 돈이 없을 때만 개방한다는 여왕무덤은 다른 무덤과 다르게 채색이 되어 있었다. 예전에 중국의 진시왕릉도 원래는 채색이 되어 있었는데 발견되어 그 곳은 열었을 때 공기와 맞닿아 산화되어서 잿빛이 되었다고 하는데 이집트 무덤은 열었을 때 산화도 되지 않아서 아직까지도 미스테리라고 한다. 역시 이집트는 미스테리로 인간의 호기심과 닿아 있었다. 그런데 왠지 해결되지 않는 그 무엇가가 있어서 다시금 찾는 곳이 되지 않을 까 싶다.

시장내에서 마차도 타보았는데 마부가 있다니 신데렐라가 된 것 같기도 했다. 우리만 젊은 마부였는데 좀 불쾌했던 기억이 있다. 이탈리아에서 "벨라벨라" 라는 소리도 들어 봤지만 야한 동영상을 마부가 주어서 좀 불쾌했지만 이것은 이집트에서 느낀 불쾌의 서막에 불과했다. 최고를 말했으니 이제 최악 차례인가? 부자가

망해도 삼년은 간다는데 이집트의 찬란한 고대왕조들은 사라지고 내전에 휩싸인 역사 안에서 이집트인은 내동댕이쳐졌다. 예전에 커피숍할 때 뉴스위크잡지에서 이집트 내전으로 몇 백년간 명맥을 유지하던 커피숍도 문을 닫아서 대서특필되었는데 이집트는 물려주신 훌륭한 문화유산을 제대로 관리도 못하고 문제들이 계속 생겨서 외국에 문호를 개방하지도 못하고 있는 실정이었다. 모든 것이 후퇴되거나 제자리여서 관광지에서 쉴새없이 호객행위를 하고 사기를 치고 불성실한 태도마저 보인다. 심지어 카이로 공항에서 삐딱하게 서서 주문을 받는 스타벅스 직원은 원래보다 돈도 많이 받길래 물어보니 그렇게 줘야한단다. 이런 억지는 찬란한 문화유산의 색을 바라게 한다. 그리고 마지막까지 사타구니까지 뒤졌던 문화재 수색은 얼굴을 찌푸리게 만들었다. 나일강의 아름다운 야경과 대비되는 마지막 날이었다.

Tip

호객행위도 너무 많아서 무조건 그나마 나은 국립박물관에서 책이나 선물을 구입하는 것이 나을 것 같았다. 가이드분이 환전방법을 알려주시긴 하는데 우리나라에서는 이집트 돈을 바로 환전해주지 못해서 우선 달러로 가져가야한다는 사실.. 신기한게 왕처럼 관리인이 돈에 찍혀 있어서 그 나라에서 위상을 알게 되었다. 여행을 가서 그 나라의 화폐를 구경하는 것도 재미있다. 거기에는 또다른 역사와 재미가 있다.

2 쟈스민 오일
10 가디니아 오일
3 사카라 꽃 오일
11 라일락 오일
4 수선화 오일
12 해바라기 오일
5 라벤더 오일
13 카네이션 오일
6 연꽃 오일
14 은방울꽃 오일
7 구투넴 오일
15 오렌지꽃 오일
8 제비꽃 오일
16 레몬 오일
혼합 오일
17 생명의 열쇠
28 샤흐르자드
18 투탕카멘
29 사막의 비밀
19 핫셉슈트 여왕
30 이집트 여왕
20 오마르 카얌
31 아이다
21 아랍의 향
32 하렘의 향수
22 클레오파트라여왕
23 크리스마스 밤
34 이시스
35 아문-라
25 다섯가지 비밀
36 호루스
26 오시리스
27 람세스
38 아미르의 향수
독특한 향기의 오일

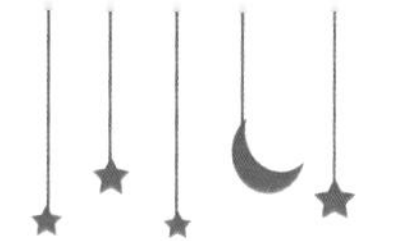

오만가지가 다있는 오만

오만
*
무스캇

많은 사람들이 알지 못하는 나라지만 난 그런 나라들이 좋다. 다 아는 것보다 내가 숨겨진 보석을 직접 찾는 느낌이랄까? 난 왜 그런 것들이 재미난지 모르겠다.

오만은 내가 잘 모르는 곳이고 크루즈에서 초창기에 간 지역이라 또 크루즈 기항지 관광이 궁금해서 박물관 투어를 신청했었다. 아무래도 작은 나라라 대중교통이 좀 어려울 것 같았다. 다같이 모여서 크루즈 터미널에서 같이 옹기종기모여 박물관으로 거의 줄서서 갔다. 이런 단체 기항지 투어는 개인행동이 되지 않아 바로 앞에 맛있는 음료수가게가 있었지만 그냥 지나쳐야했다. 그뒤로 기항지투어는 그닥 안한거 같다. 자유로움이 나에게는 필요했다. 전생에 새였나 싶을정도로

박물관앞에는 사막인 오만답게 항아리와 물이 시그니처 동상으로 있었다. 새삼 사막국가인 것이 와닿았

다. 금보다 귀한 물과 운반하는 항아리는 짝궁같았다. 박물관에 들어서니 아니나 다를까 금화천지! 난 금색도 좋아하는데 흥분했다. 물론 유리안에 있어서 그냥 구경만 했다. 모스크도 예뻤고 기항지 투어답게 그랜드모스크를 갔는데 복장도 인도처럼 나름 엄격했다.

이상하게도 틀에 짜여진 여행은 나에게는 무색무취로 다가온다. 오만가지가 매력의 오만을 몇 가지밖에 못본 것 같아 서운하고 아쉽다. 그래서였을까? 그뒤부터는 죽이 되든 밥이 되든 스스로 여행을 했다. 정말 즐거웠고 어떨 때는 편히 쉬었다가고 온전히 나에게만 맞춘 여행이어서 더욱 값졌다. 꼭 다음 기회에 오만을 가서 혼자만의 여행을 즐기리라 다짐했다. 안녕 오만 이만 줄일께.

Tip

거의 초반부 크루즈 기항지라 크루즈 경험을 해보고 싶어서 신청한 여행인데 기항지 투어는 나중에 알고보니 자유여행보다 당연히 비싼데 약간 답답한 너낌. 각자 스타일대로 한번 도전해보시고 선택하시길 바래요.

짜이의 나라 인도

인도
*
델리, 뭄바이

처음 인도에 갔을 때 보았던 아라비아해는 교과서에서 보고 직접 조우한 그 느낌은 아주 벅찼다. 여행만 가면 벅차오르는 감정을 느끼는 여행은 내 삶에 있어서 디저트같다. 딜라이트(터키의 디저트이름) 정말 환희로운 감정이고 그 느낌이라고 해서 지어진, 이름답다.

누가 머라고 해도 디저트의 짝궁은 차다. 특히 짜이는 진심으로 인도가 최고다. 우리나라에서도 먹어 보았지만 현지에 가니 감탄이 절로 나왔다. 짜이가 조금 구워진 토기에 나와서 먹고 버리면 그냥 환경으로 간다니 그것도 신기했고 벌써 15년전인데도 인도인들의 환경사랑의 일부분을 보는 것 같았다. 비포장도로에서 나는 먼지바람도 좋았고 같이 탔던 릭샤도 좋았다. 버스나 지하철같이 먼 느낌이 아니라 같이 친구가 된 느낌이었다.

영국의 침입을 받아서 만든 엘도라 사원, 그 안에서

의 수련, 그리고 타지마할을 보고 왕비에 대한 사랑을 느낄 수 있었지만 가이드님 말씀처럼 다른 나라처럼 학교를 지었다면 인도의 미래가 달라졌을까? 한번 생각해본다. 인도에 타지마할이 생겼을 때 영국에는 옥스퍼드가 생겼다니 말이다.

필자는 학생들을 가르친지 이제 10여년이 넘었다. 전 과목을 다 가르치지만 영어는 필수라고 늘 한다. 단체여행의 특징상 여행사의 이익도 보장하기 위해 최소 모객인원이 있는데 인도는 커피숍을 3년 하고 정리한 후 정한 여행지였다. 그동안 지쳤던 심신을 달래기 위해 찾은 여행지였다. 거의 일주일까지 출발확정이 되지 않았을 때 기적같이 출발확정이 되었다. 어머님들 계모임에서 홀수로 출발하여 동행자를 구한다는 것이다. 단체여행을 해본 여행객이라면 알겠지만 혼가가면 싱글차지라고 해서 호텔 방의 기준이 보통 2인기준이라 2인용을 내는 것이다. 호텔의 묵는 날이 많으면 올라간다. 이동하는 수단이 호텔인 즉 크루즈는 싱글차지가 거의 2배가 된다. 참고하시길

하지만 기쁨도 잠시 영어를 하나도 못하는 어머님들의 가이드겸 식사당번이 되어야만 했다. 영어를 못하시니 처음에는 서비스로 해드린 것을 나중에는 일곱분 정

도의 식사를 다 담아와야하는 몸종노릇을 한 것이다. 여행가서 처음 울었던 기억이 난다. 그 뒤로 나는 개인여행을 선호했고 안될 시에는 싱글차지도 아까우니 조카를 데리고 갔다. 나중에 이야기 드릴 캄보디아와 중국의 시안은 미성년자 조카를 데리고 가서 겪은 특이한 일도 알려드리겠다. 미성년자를 데리고 가기가 이렇게 힘들 줄이야. 내가 생각해도 대단한 이모노릇이었다.

그래서 코로나 시기에는 우리나라로 방향을 돌렸다. 예전에 바가지를 많이 당해서 기분이 나쁘기도 하고 친구들이 대부분 외국에 있어서 외국여행을 많이 다녔는데 이제 한국도 좋은 곳이 많다는 것을 느꼈고 우리나라도 새로웠다. 한 나라, 도시를 갈 때 그 느낌은 사람마다 가지각색이다. 정보도 많이 알려드리고 싶은 마음에 인도는 나에게 너무 좋은 나라였는데 나쁜 기억이 많아진거 같아서 아쉽다. 인도여행은 일을 쉬고 허리디스크가 있었음에도 불구하고 떠난 여행이라 나에게는 의미가 있는 나라였는데 동행자에 따라 달라질 수 있다는 것도 알려드리고 싶었다. 많은 기회가 있기도 하지만 바쁜 와중에 시간을 내서 겨우 가게 된 여행이니 즐겁게 다녀올 수 있게 자기 자신을 아는 것이 가장 필요하다.

Tip

아무래도 비포장도로도 많고(스카프나 마스크필요) 음식이 입에 안맞을 수도 있으니 누룽지 강추합니다. 그러려면 접이식 전기 주전자도 필수죠. 거기에 따라 또 멀티아 뎁타도요. 제가 살 때 희귀해서 2만원정도 였는데 요즘은 5천원정도면 사더라구요.

요르단 난 다행히 좋았다.

요르단
*
페트라

나는 개인적으로 더운나라를 좋아하는데 요르단이 그래서 또 더욱 좋았다. 그런데 요르단 사전조사를 하던 중 관광객과 현지인의 입장료 차이가 커서 의구심이 들었다. 아니나 다를까 요르단에서 기항지투어를 하던 분들은 거의 다 택시기사가 강도로 변해 돈을 요구해서 다 뺏기거나 총으로 위협했다고 했다. 공평하지 못한 것은 이상하기 마련이다.

난 그것을 느끼고 단돈 5달러짜리 시티투어를 했다. 늘 그냥 투어와 기항지투어에서 선택의 순간이 오길 마련인데 요르단 페트라는 그런 감이 덜했다. 만약 내가 혼자 갔는데 그랬다면 여행을 포기했을 것 같다. 난 겁이 많아 운전면허도 못따지 않는가? 여행은 어쩌면 자기자신을 알아가는 과정이고 그 순간의 내가 좋은 것이 아닐까?

난 커피를 좋아해서 하루 7-8잔을 마신다. 그래서 커피값이 너무 많이 나오기는 하지만 여행가서 여행지마다 특색있는 커피숍을 가는 것을 즐긴다. 요르단에서도 다들 페트라를 가는데 시티투어를 한 나에게 박수를 보낸다. 이번에 요르단을 가는 투어가 있어서 신청해보았는데 모객이 되지 않아서 나중으로 좀 미뤄놔야겠지만 새로운 남친이 생기면 도전해봐야겠다. 혼자 자유여행가는 것은 좀 무섭다.

요르단에는 주말에 크루즈에서 내려서 문이 안 연 곳이 많아서 힐튼호텔을 갔는데 내가 담배만 피웠어도 물담배를 피는 커피숍을 갈 수가 있었을텐데 말이다. 비흡연이 처음으로 원망스럽다. 물담배 기계가 예뻤는데 말이다. 요르단의 페트라를 갔으면 잔뜩 쓰여졌을만한 여행기지만 또다른 여행을 위해 비워두는 것도 재미있는 일 같다.

Tip

요르단은 위험한 지역인데 인스타에서 보면 또 잘다녀오신 분도 계시더라구요. 어떤 여행경로냐 따라 달라지기도 하고 그 나라 언어를 하면 안전한 여행이 되기도 한대요.

mijin250
10/10

mijin250
9/10
Winner
Winner
mong_mong_e_house님 외 3명이 좋아합니다
mijin250
#와인공장#이번호주에서는멜번초콜렛공장투어해야지#안토니에게묻지않았다면올버니에서찾을뻔#역시실시간업데이트의중요성을깨달음#박물관에서사진도찍고하련박물관별로없는데#

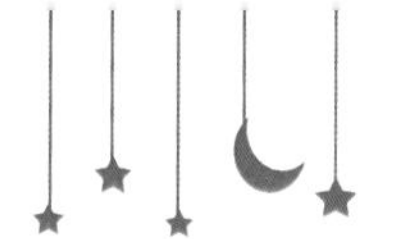

스리랑카는 차의 고향

스리랑카
*
콜롬보

사과나무의 필명보다는 어찌 보면 커피를 좋아해서 커피나무라는 필명도 고려하고 있는데 그래서 커피숍도 했지만 말이다. 차 또한 좋아해서 차의 본고장인 스리랑카의 방문은 가슴 설렜다.

스리랑카같이 언어가 잘 통하면 기항지 관광이 최고다. 이런 곳은 영어를 잘하는 사람이 별로 없기에 우회적인 방법을 써야한다. 마침 차공장 견학 관광이 있었다. 올레! 대절된 버스를 타고 고속도로까지 타고 깊은 곳에 도착했더니 나온 차공장. 스리랑카는 환경적 요인으로 차의 품질이 우수하다. 찻잎도 처음 봤고 재배하는 곳도 가고 분류하는 곳도 갔다. 아주 마른 스리랑카 공장 가이드님 부럽다. 키도 크신데...또르르 눈물을 참았다. 그래도 크루즈에서 스테이크만 맨날 나와서 질려서 살이 빠져 나도 한 몸무게했는데 키가 좀 부럽다. 이히 인생 몸무게 48킬로 실연다이어트만큼 어렵다는 입맛다이어트, 역시 여행에서 중요한 것은 음식임을 새삼 깨닫는다.

직접 찻잎도 본 것도 모자라 곳곳에 자란 후추잎도 봤다. 향신료 전쟁이 시작되었던 전설의 후추잎을 보니 감회가 새로웠다. 그리고 시음을 했는데 역시 스리랑카다.

좀 사갈까 싶어. 그 여행이 비즈니스 여행이기도 해서 거래처를 찾아보려고 했는데 톤단위다 안녕~~

그냥 선물용을 차를 샀는데 스리랑카에서 직접 사다니 받는 사람은 감동할 것이 뻔하다. 그리고 베이킹을 좋아해서 슈퍼마켓에 가서 각종 오일을 샀는데 타히티처럼 바닐라빈이 큰건 아니고 함량도 높은 것이 아니었다. 그래도 나라마다의 특성이 있어서 여행가면 마트에서 사는 편이다. 이런 것을 선보일 공방을 어서 차리고 싶다. 하고 싶은 일이 많은 인생이다.

스리랑카에서 하루만 묵어서 공장 정도밖에 보지 못해서 아쉬웠다. 살짝 맛만 본 느낌이여서 나중에 콜롬보에 다시 와야겠다는 생각을 했다. 아 가슴 벅차다.

Tip

사람들은 여행가서 이것저것 안사는 편인거 같은데 전 엄청 삽니다. 근데 후회한 적이 없고 집에 놓고 추억해요. 행복해요.

타히티 시간의 흐름대로 고갱을 만날 차례

타히티(폴리네시아섬)
*
파페에테

미술사도 좋아하고 미술로 인해 치료를 받은 경험이 있어서 누구에게나 난 미술의 힘을 믿는다고 이야기한다. 미술에 관한 책을 천권도 넘게 읽어서 잘 알고 있다고 자부했고 여행갈 때 마다 미술관, 박물관은 필수코스이다.

풀꽃2
-나태주
이름을 알고 나면 이웃이 되고
색깔을 알고 나면 친구가 되고
모양까지 알고 나면 연인이 된다.

글이 그렇게 만들기도 그림이 그렇기도 하고 예술과 문화의 힘은 대단하다.

타히티가 크루즈 기항지인 것은 잘 몰랐는데 한번도 여행을 가야지 생각해 본적이 없어서 그런가 보다 했는데 막상 가니 그 경이로움이란

형용할 수 없다는 표현이 이런 곳에서 나왔으리라! 감탄사를 별로 안쓰는 나지만 그냥 느낌표가 나온다.

프랑스가 과거에 식민지배를 해서 프랑스어를 쓴다고 했는데 섬나라는 여유롭다. 하필 주말이라서 가게들이 대부분 문을 닫았지만 크루즈에서 연결해준 악세사리샵은 열어서 박물관과 겸한 곳이라고 갔는데 패리스 힐튼사진도 붙어있다. 음.. 귀걸이가 크루즈 가격이다. 진주를 캐서 악세사리를 만드는 과정을 보여줘서 흥미로웠다. 이물질을 예쁜 진주로 승화시키는 조개를 조개구이로만 볼 게 아니다.

왜 고갱이 고흐와 떨어져 타히티에 온 지 알겠다. 풍요롭게 여유로워서 나중에 다시 오리라 다짐했다. 그러던 와중 드른 커피숍에서 인생 케잌을 만나게 된다.

프랑스제과기술로 만든 완벽한귤모양케잌 진짜 귤모공이 있고 맛도 심지어 꼭지부분이 쓴 디테일까지..감격 고갱의 그림과 멋진 디저트까지 완벽한 휴양지로 변한 타히티는 생애 한 번 가볼만 하다.

Tip

타히티에 대한 여행기록은 별로 없다. 주말을 완벽하게 쉬니 계획을 잘짜자. 책에서 쉰다고 했는데 아닌 곳도 있고 거의 복불복이긴해요. 타히티는 빵쪽이 예술이니 드셔보세요! 특히 인테리어가 이쁘면 거의 다 맛났던거 같아요.

love_h1982님 외 3명이 좋아합니다

mijin250 타히티에서 발견한 귤모양케익 정말 껍질부분은 쓰다..이런 디테일💛💛넘 잼난다. 나도 만들고싶다. 근데 난 아이스라떼를 시켰는데 아이스아메리카노가 나왔어. 그래도 넘나 친절하심에 감동 케익먹는데 나이프랑 포크까지 가져다주심. 진주박물관도 가고 진주귀걸이가 1400유로;;거의 크루즈 삼분의일값 ㅠㅠ 곳곳에 꽃과 조형물들이 자유로운 분위기를 알려준다. 근데 일몰이라 거의 다 쉼. 옷한벌사려는데.오늘 안열었는구나. ㅜㅜ mar 부탁한 마그넷도 사고 올만에 나와서 완전 좋다. 내일은 리아테아섬이구나. 뉴질랜드에서도 와이모토동굴을 가야하나 고민된다. 그걸하면 시티투어 시간이 부족한데 참 일본인친구에게 동선을 물어봐야겠다. 나도 은퇴하고싶다

2018년 9월 10일

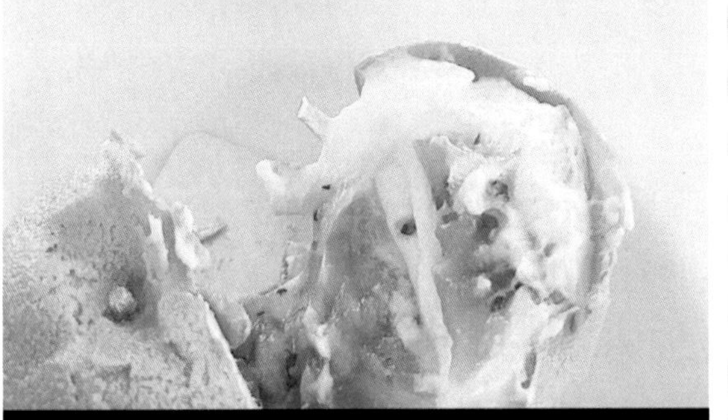

love_h1982님 외 3명이 좋아합니다

mijin250 타히티에서 발견항 귤모양케익 정말 껍질부분은 쓰다..이런 디테일♥♥넘 잼난다. 나도 만들고싶다. 근데 난 아이스라떼를 시켰는데 아이스아메리카노가 나왔어. 그래도 넘나 친절하심에 감동 케익먹는데 나이프랑 포크까지 가져다주심. 진주박물관도 가고 진주귀걸이가 1400유로;;거의 크루즈 삼분의일값 ㅠㅠ 곳곳에 꽃과 조형물들이 자유로운 분위기를 알려준다. 근데 일욜이라 거의 다 쉼.
옷한벌사려는데.오늘 안여는구나. ㅜㅜ mar 부탁한 마그넷도 사고 올만에 나와서 완전 좋다. 내일은 리이테아섬이구나.
뉴질랜드에서도 와이모토동굴을 가야하나 고민된다. 그걸하면 시티투어 시간이 부족한데 참 일본인친구에게 동선을 물어봐야겠다. 나도 은퇴하고싶다

2018년 9월 10일

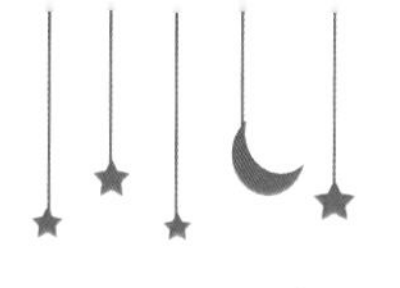

필리핀 여행 계

필리핀
*
세부

필리핀 세부는 대학교 때 여행 계를 통해서 처음 간 곳이다. 인생에 있어서 어떤 사람을 만나느냐가 중요한데 이 언니들을 만나고 새로운 세상이 열리긴 했다. 언니들이 다투는 모습을 보고 나는 저러지 말자고 했고 인생 살면서 다투고 잘 화해하는 과정도 필요한데 그런 것을 잘 못해봤다. 근데 A형이라서 그런지 참다가 인연을 끊는 스타일이었는데 해가 거듭될수록 말로 잘 풀어내는 것이 어렵지만 중요하다고 생각되어졌다. 필리핀은 3명이서 갔는데 가이드분도 우리나이 또래라 재미있게 지냈다.

겁도 많고 물도 무서워했는데 처음에는 아무것도 모르고 스킨스쿠버다이빙을 했다. 정말 무서웠다. 어렸을 때 하도 안먹고 공부만 해서 돌발성 난청으로 한 쪽 귀가 아직도 안들리는데 나머지 한 쪽까지 안들리는 줄 알고 얼마나 무서웠는지. 그 뒤로 난 물로 하는 놀이는 안 한다. 라오스에서도 내가 좋아하는 동굴이었지만 조카만 보낸 기억이 있다. 요새들도 가고 따뜻한 물에서 수영도 하고 필리핀 배에서 낚시도 했는데 처음했는데 잡아서 엄청 놀랐다. 여행에서는 새로운 경험을 할 수 있다.

따뜻한 날씨에서 물놀이하는 것도 재미있었다. 난 호텔보다 리조트를 선호하는 편이어서 리조트에서 따스한 물에서 놀때는 몸이 퉁퉁불어 아플 때까지 논다.

그리고 다음번째 필리핀도 학교 언니랑 갔는데 셋째 딸이다 보니 언니들이랑 노는 것이 아주 익숙하다.

여행지가 같더라도 동행자에 따라 달라지는데 그리고 일정표에 따라서도 달라져서 이번에는 난생처음 카지노를 갔다. 어마어마하게 큰 규모였지만 흥미를 느끼지는 못했다. 친구네 엄마는 빠징코에서 아예 산다고 하는데 나는 왜이렇게 재미가 없는지 몸으로 부딪히고 경험하는 것을 좋아해서 인가보다. 빠징코에서 공짜로 주는 음료먹고 쇼파에서 놀았다. 언니는 호텔을 중시해서 여행상품에서 업그레이드해서 호텔 좋은 곳을 잡았다. 일행과 헤어졌다. 난 자는 건 아무 곳이나 자도 되는데 성향차이지만 언니가 다 내줘서 (건물주위엄 무엇~) 언니의 결정을 따랐다.

Tip

여행을 하면 할수록 자신을 알게 되어서 그에 따르는 비용이 절감되는 것 같아요.

전 타의로 해서 필리핀에서 스노쿨링 못하는데 돈만 버렸답니다. 타산지석삼으세요~

슬로베니아
나에게는 트럼프 전대통령 부인의 고향

슬로베니아
*
류블랴나

이상하게 한나라를 기억할 때 대표적인 것으로 시작될 때가 간혹 있다. 나에게 슬로베니아도 그랬다. 이동거리와 경제적부분이 여행에서 중요하기 때문에 동선을 짤 때 주변국을 같이 간다. 그리고 특별한 기간을 빼는 것이 비행기 값도 적게 들고 예약마저 쉽다.예를 들면 크리스마스나 여러 종교 행사들 시기말이다.

슬로베니아도 크로아티아를 가면서 갔는데 주변국이여서 더욱 흥미로웠고 트럼프 전대통령 부인의 고향이라 흥미가 생겼다. 기차에서 내리자마자 본 것은 동유럽인의 기럭지. 멜라니아 부인도 키가 크고 모델 출신인데 동유럽 사람들은 태생이 모델같았다. 길다. 날 분명히 꼬마로 볼 거야. 좀 편하게 여행하기 위해 자유여행에 패키지 일일투어를 섞었나. 블레드성과 포스토이나 동굴을 선택했다. 크로아티아에서 날씨가 좋지않아 식물원도 못갔는데 주변국이라 그런지 비가 계속 왔다.

비가 오는 것을 너무 좋아해서 휴게소에 들러서 커피한잔 사고 출발! 다른 여행객도 있었다. 블레드 성은 생각처럼 핏빛은 아니었고 아담했다. 구경하긴 좋았지만 왜 외로워보였는지 따뜻한 한옥이 좋다. 집나오면 애국자라더니 그곳에서도 커피숍에서 차 한잔을 하고 작은 박물관을 구경했다.

난 동굴을 좋아한다. 예전에 남동생과 오버트라운을 갔다가 마감시간이 5시에 도착해서 못간 한을 이번 슬로베니아에서 풀었다. 보통 관광지에서 소요시간도 같이 적혀 있으면 좋겠다. 입구는 작은 소금광산인데 서너시간이 걸릴줄이야. 바삐 걸음을 옮겼지만 5시에 도착. 이것도 내가 혼자여행을 추천하는 이유이다.

포스포이나 동굴은 세계에서 가장 크다는데 안에서 오케스트라가 연주하고 이동할 때 기차를 탄다. 이거 생각하고 올해 우리나라 동굴갔다가 다리 아파 죽을 뻔했다. 이런 것은 벤치마킹을 했으면 좋겠다. 어두운 동굴이라 눈이 필요없어서 퇴화된 도뇽룡도 보고 그 삶의 자취를 보았다. 신기했다. 몇백만년에 걸쳐 변화했으리라. 그에 비해 인간은 보잘 것 없는데... 무슨 현실에서 이렇게 아웅다웅할까? 갑자기 철학자가 된다. 굳이 특별해지지 않게 하는 순간, 삶이 내 삶이 된다는 진리를 다시 깨우친다.

Tip

가끔은 혼자여행도 체력안배를 위해서 일일투어도 있고 반일투어도 있으니 신청해보세요. 좋아요. 책에 없는 생생한 정보도 얻을 수 있어요.

어부들의 변화 카타르

카타르
*
도하

이번 카타르월드컵이 난리다. 난 축구를 좋아하지 않았는데 이번에는 어찌나 재미있던지 국사, 사회, 세계사 과목을 좋아하다 보니 스포츠를 먼저 3s정책으로 받아드렸는데 이번 포르투칼 전에서의 축구팀의 모습은 너무 멋졌다. 연장가서 골을 넣고 정책이니 머니가 아니라 열정과 끈기를 보았기 때문이다. 9%의 승율이라고 했는데 그것을 알고도 최선을 다하는 한국팀이 자랑스럽다. 나도 반성해본다.

난 카타르는 비엔나 친구네 집에 가면서 많이 들렀다. 경유를 하면 한번에 두나라를 구경할 수 있었기 때문에 선호하는 편인데 가격마저 싸다. 카타르도 여러번 갔는데 남동생과 갔을 때는 더 알차게 구경하고자 일일가이드투어를 신청했다. 한여름에 실내스키장과 맛있는 아이스크림, 지상의 낙원이었다. 게다가 경유하면

밀쿠폰을 주는데 역시 부자나라다. 밀쿠폰으로 우리나라에 아직 입점되지 않았던 쉑쉑버거에서 먹었는데 무슨 햄버거가 이만원이 넘는지 놀랐다. 남동생은 패스트푸드 매니아라 같이 분에 넘치는 햄버거를 먹었던 기억이 난다. 아무리 유기농에 좋아하는 영양사 출신이지만 햄버거를 그 가격에는 먹지 않으니 카타르의 배려로 먹어보게 된 것이다. 예전에 "곳간에서 인심이 난다."고 하지 않았던가?

카타르는 현대적 건물도 많아 눈이 즐거웠고 전통시장인 수크도 재미있는데 우리가 생각하는 재래시장을 생각하면 다르다. 현대적이라 백화점같았다. 땅도 넓으니 굳이 고층으로 쌓지 않는 플렉스까지 멋있었다. 곳곳에 있는 금자판기라니 플렉스! 여러나라의 재래시장은 음식이 대부분인데 여기는 사치품과 애견앵무새들이 많았는데 법상 안되니 우리나라에 사갈 수는 없다고 갑자기 가이드가 등장한다. 카펫도 사가고 싶었지만(사과나무는 여행지에서 쇼핑을 많이 하는 편이다. 인도에서 실크로 된 이불세트도 샀고 각 나라마다 특이한 것들을 사서 모으는 편이다. 나중에는 건물을 짓고 박물관을 열고 싶다.) 무게가 엄청났고 가격도 엄청났다. 여행에 적자가 누적될까봐 마침 남동생에게도 돈을 빌려줘서 지금 카페트는 살 여력이 없었는데 두고두고 후회한다. 지금도 내 방에 있는 이집트 인형, 에펠탑을 보고 다시 그 나라로 빠지니 나에게는 소울 메이트이다.

크루즈 기항지로 간 카타르는 혼자였는데 시간은 별로 없어서 택시를 타고 그리고 아울렛 버스를 이용했다. 무슨 브랜드들이 그렇게 많은지 조카선물도 사고 라면도 사고 쇼핑백이 미어 터졌다. 커피숍도 얼마나 예쁜지 카타르에서 2년만 살고 싶었다. 그런데 역사유적지는 없어서 조금 아쉬웠다.

입이 떡벌어지는 카타르 공항 코로나 전에는 24시간 개방한 면세점에서 쇼핑하느라 패드를 읽어버렸던 씁쓸한 기억

Tip

제가 갔을 무렵에 카타르는 택시에 타면 앞에 타더라구요. 그리고 아울렛 가기전에 쿠폰북이 있는데 꼭 챙기세요.

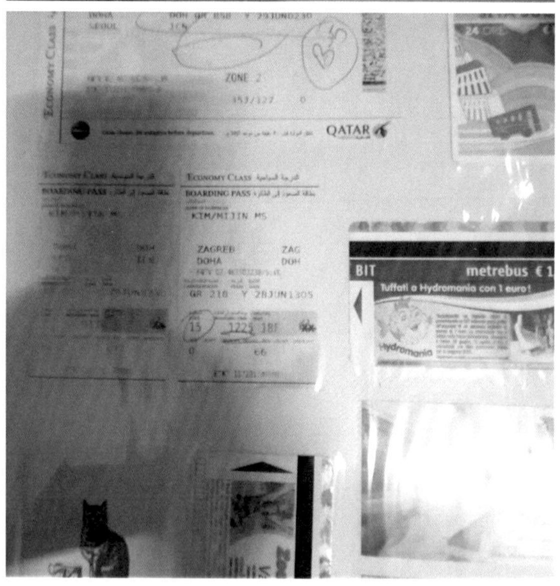
ZONE 2
QATAR
ECONOMY CLASS
BOARDING PASS
KIM/MIJIN MS
ZAGREB ZAG
DOHA DOH
BIT
metrebus € 1
Tuffati a Hydromania con 1 euro!
Hydromania

캄보디아 크메르상 분수

캄보디아
*
프놈펜

킬링필드의 역사를 보고 나는 가끔 캄보디아를 떠올린다. 석사시절 2학년 때 나는 대학원 조교를 해서 내 인생에서 시간적으로 제일 여유로웠다. 나의 천적 작은 언니도(이야기했는지 모르지만 딸셋에 아들하나의 구성) 같은 학교를 다녔고 교육대학원이라는 특징으로 학부때처럼 부전공을 여러개 하지 않아서 나름 여유로웠다. 워낙 여행을 자주 가니 여행사에서 하는 긴급모객이 그 시절에는 많았다. 그렇게 떠났던 캄보디아였다.

앙코르와트를 툼레이더라는 영화에서 보긴 했지만 직접 보니 감동이 남달랐다. 난 역사적 가치가 있는 것을 좋아하는데 낡음에서 느껴지는 세월의 흔적이 너무 멋있다. 나무들이 자라서 뿌리가 드러난 것도 멋있었는데 기이드분은 자기 나라의 유적지마저 노하우가 없어서 일본관리회사에서 해주는 것이 안타깝다고 했다. 어느 나라건 자립이 되는 것이 필요하다.

캄보디아에서 이동할 때 캄보디아 가이드도 법적으로 꼭 참가시켜야 한다는데 이 부분에서는 그래도 나라의 문화유산을 지키려는 의지가 조금은 엿보였다. 서구열강들은 먼저 잘해주고 자립하지 못했을 때 그때부터 지배하기 시작하니 말이다.

판에 박힌 모던한보다 지역색이 묻은 리조트를 좋아하는데 캄보디아 리조트는 크메르상처럼 생긴 상에서 물이 뿜어져 나왔다. 난 왜 이게 트레비분수보다 임팩트있지?^^; 예뻐서 한창을 구경했다. 날씨도 덥고 나한테 천국이다.

단체여행은 계획도 잘 짜여져 있고 확실한 현지 정보를 알 수 있어서 좋다. 캄보디아 여행은 긴급모객이라 전날 출발사실을 듣고 간 것이지만 여행은 그에 비해 알찼다. 동행자가 별로여서 그렇지만 여행동반자는 적어도 결이 비슷해야한다고 생각한다. 나는 역사적 가치가 있는 것이 소중하다고 생각하지만 그냥 낡은 물건, 오래된 별로 인 곳이라고 투덜되면 적어도 결은 안 맞는 거다. 그 사람의 가치와 나의 가치는 다르니 말이다. 처음에는 알기 어렵다. 학생의 진로처럼 많이 경험해봐야 내가 어떤 사람인 줄을 아는 거다.

옆에서 투덜거리는 속에서도 여행은 캄보디아만의 문화와 역사가 녹아 있어서 너무 재미있었다. 유럽과는 또다른 분위기였다.

톤레삽 호수에서 바라본 야경은 아직도 눈에 선하다. 그 안에는 흥미있는 것이 많았는데 조개껍데기로 재해석한 클림트의 키스는 비엔나의 그것과는 다른 느낌을 주었다. 긴급모객으로 20만원대에 가서 예산이 좀 남아서 그 그림을 샀다. 컬렉터가 되는 순간이었다.

Tip
지금은 코로나 이후에는 많이 없어졌지만 학생일 때는 이러한 긴급모객 프로그램을 이용하면 저렴하게 다녀올 수 있다. 대박

홍콩 딤섬먹으러 갔던 시절이 있었다

홍콩
(도시국가)

대학교때 동기언니들이랑 여행계를 해서 간 곳이 또 홍콩이었다. 식품영양학과라서 그런지 음식에 특히 흥미가 많았고 딤섬을 먹으러 가기로 했다. 다 언니들이라 내 의견은 쭈굴, 그래도 그 덕분에 새로운 경험을 할 수 있는 것은 좋았다.

그런데 홍콩에서도 싸웠다. 난 그런 틈바구니에서 의견을 내기도 힘들고 그냥 둘의 화해하게 분위기를 조성했다. 이번에는 필리핀여행과는 다르게 도시국가기도 하고 영어가 통해서 자유여행으로 했다. 한 언니가 다 예약을 했는데 베테랑이었다. 워낙 컴퓨터를 잘하는 언니라 그래서 대한항공에 입사했나보다. 대한항공을 탈 때마다 언니가 담당하는 기내식을 보고 있자니 반가웠다. 세계 여러나라의 음식을 맛보고 창고에서도 먹을 수 있다니 부러웠지만 창고가 춥단다. 아서라.

홍콩은 언니들의 계획하에 가고 야경이 중심이어서 밤에 많이 돌아다녔다. 홍콩이 워낙 금융의 도시이고 땅값이 비싸서 아파트들이 평수가 작아서 야경이 특이했다. 야경만 봐도 홍콩인줄 아는 것처럼..

일일가이드분이 설명해주셨는데 홍콩부자들은 물근처인 리벌스베이에 산다고 했다. 구경도 가보았는데 따닥따닥 붙은 아파트가 아니라 널찍한 단독주택에 물도 근처에 있으니 풍수가 좋은 배산임수같았다.

드디어 딤섬을 먹으러 갔는데 예약을 해서 그런지 금방 자리를 잡았는데 테이블 교체하는 옆을 보니 테이블이 테이블 다리와 분리되어서 테이블보를 가는데 그것도 어찌나 신기한지. 무거워는 보였는데 말이다. 정장을 갖춰입고 하니 더 멋졌다. 우리는 딤섬만 시키기에는 좀 아쉬워서 그 유명한 북경오리를 시켰는데 달다. 머지

딤섬도 새우가 내 입맛에 맞았다. 근데 하나당 비싸네. 역시 언니들은 고급음식만 먹는다. 하나당 가격이라니. 그런데 고급음식이라도 내 입맛에 안맞으면 별로다. 북경오리는 달아서 거의 남겼는데 제일 비쌌다. 에잇

홍콩에서 "샤샤"라는 브랜드는 화장품 편집샵인데 이걸 보고 들어오니 "올리브영"이 많이 보였던 것 같다.

금융과 뷰티의 중심지 홍콩! 새로운 제품들을 구매하고 (보따리 장사냐고 물어보는데 판 적이 없다.) 은색 스키복을 샀다. 이 여행계모임은 스키장이나 펜션도 자주 가는 모임이라 다같이 옷도 골라주었다. 나하고는 각각의 언니들이 맞는데 둘이 부딪히면 싸우니 이상할 노릇이다. 페니슐라 호텔 커피숍에서 커피도 한잔하고 티타임을 즐겼다. 이때부터 호텔투어를 해본 것 같다. 여러가지 호텔, 호스텔, 리조트투어는 잼나다.

2007.03.28

Tip

그냥 즉흥적으로 여행을 가는 것도 잼나고 예약을 해보는 것도 특이한 경험이다.

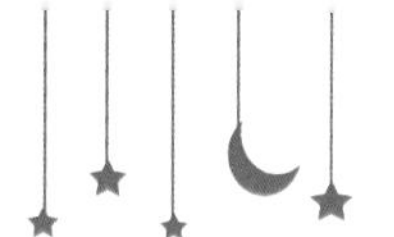

중국 시안 병마용 벅차다.

중국
*
시안

중국은 언제든지 맘만 먹으면 갈 수 있는 여행지라고 생각해서 남겨둔 여행지였다. 고3과외 끝나고 갈 때 몇 달씩 가는데 그럴 때 중국을 가는 것은 왠지 모르게 아까웠다. 그러던 중 여행을 검색하다 병마용을 보게 된 것이 환희의 시작이었다. 하나투어 홈페이지에서는 교과서에서만 배운 내용이 아니라 그동안 업데이트된 정보까지 배웠다.

병마용이 처음 발견되었을 때 산소를 차단하지 않아서 채색이 된 병마용이 회색 잿빛으로 변하게 되어 우리는 실제로 가면 오히려 원래의 모습을 볼 수 없는 아이러니가 되었다. 그래도 하나투어 홈페이지에는 남아 있으니 다행이다. 그것을 보지 못했다면 영영 원래의 병마용을 몰랐을 것이다. 교과서도 심지어 이유는 없고 그림만 있기 때문이다.

실제로 가서 배우는 것도 많지만 준비하는 과정에서도 배우는 것이 많다.

이번 여행도 둘째조카와 같이 갔는데 6살이라서 지금 기억이 가물가물하게 난다고 한다. 조카는 거기서 잠시 남친을 사귀었다. 능력있는 녀석!

병마용의 역사적 가치를 알기도 어려운 나이지만 그래도 기억의 저편에 나길 바라면서 데리고 갔다. 하지만 공항을 들어가자마자 난관에 부딪혔다. 성씨가 맞지 않아서 중국에 입국이 안된다고 하는 것 같았다. 그때 마침 신문기사에 국제미아 납치 이런 글을 본 적이 있었는데 그런 것으로 의심을 산 모양이다. 하나투어에서도 미리 알려주지 않은 부분인데 다른 사람들의 시간까지 뺏앗을까봐 걱정이 되었다. 조금 시간이 지체되었지만 결국 마중나온 가이드가 해결을 하였다.

패키지는 이런 것이 좋다. 저번 크루즈타고 미국갔을 때 단체 패키지가 아니라 알선만 하는 거라서 그것도 하나투어주관 세계여행크루즈 1회였지만 여행의 성격마다 달랐다. 그때는 미국이라 까다로워서 거의 반나절 기다렸다고 했다. (보통 크루즈는 입국심사가 있는 나라들이 배안으로 직접 오는 경우도 있는데 역시 정확한 미국이다.)혼자 따로 비자를 받아서 문제가 생긴 모양이었다. 크루즈는 시간을 반나절주는데 시간이 돈보다 귀중하다. 적재적소에 맡겨서 대행사에 활용하는 지혜도 필요하다. 여기서도 케이스 바이스 케이스가 등장하지만 정작 본인의 일이 되면 당황스럽다.

병마용에서 둘째조카와 평생 다퉈본 적이 없는데 다퉈서 조카가 삐졌다. 풀어주느라 관광을 제대로 못한 거 같지만 하염없이 작아지는 조카 앞에서 같이 추억을 공유한 것마저 감사하다. 넓어서 나누어서 구경하고 곧 다시 오리라. 다짐했다.

이상하게 시안에서의 박물관은 어두웠는데 조카와 가서 덜 무서웠다. 어떤 상황이나 조카바보가 된다. 맨날 용돈 달라는데도 귀엽다. 요즘 공부하느라 못줘서 미안한 마음이다. 사랑해 혜빈아.

병마용을 보고 와서 시장구경을 했다. 적나라한 고기들도 특이했고 우리 둘을 팔찌를 맞췄다. 그리고 시안의 특색음식을 먹었는데 만두만 먹을 수 있었다. 이래서 조카가 힘들어 했던 것은 아닐까 라는 생각을 했다.

이렇게 여행은 배움과 함께 추억과 사랑을 남긴다. 내가 여행을 좋아하는 이유다.

Tip

화산에서 조카가 6번 화장실을 갔다. 화산을 가거나

등산시에는 화장실의 위치를 모르니 물을 적게 마시자

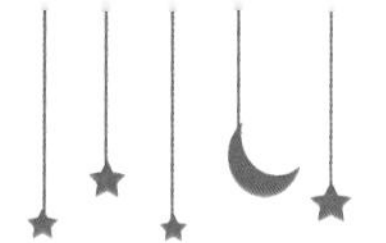

중국 제남에 갑자기 가게 될줄이야.

중국
*
제남

이탈리아처럼 많이 가본 곳이 나에게는 오스트리아다. 제일 친한친구가 공부를 해서 거의 초대를 받아 가서 관광객모드보다는 거의 현지인모드였던 것 같다. 관광객으로서의 여행과 현지인으로의 삶은 명백했다. 친구는 인종차별을 당했봤다고 했고 난 당해본 적이 한번도 없었다. 한국에서 작아 어리다는 무시는 받아봤지만 말이다. 친구는 일본유학을 하고 비엔나로 교환학생을 가서 꽁꼬르디아무도회에서 남편을 만났다고 했다. 음..연하라는데 난 잘 모르겠다. 오스트리아는 딩크족도 많아서 나라에서 26살까지 양육비를 준다니 우리나라도 제도적 보완이 필요하겠다. 지금은 아이를 낳겠다고 준비한다고 연락이 끊겼지만 한때는 친했다. 그래서 일본도 엄청 자주갔다. 우동먹자고 도쿄에서 보자고 한때가 엊그제같은데 이제 원전으로 일본은 가기가 어렵게 되었다.

비엔나는 매년1번 씩 그렇게 친구가 아이를 준비하기 전까지는 갔다. 이탈리아처럼 여러도시를 간 게 아니라 거의 현지인급으로 오랫동안 비엔나에 있었다. 친구네 집은 히칭이라는 역주변인데 바로 앞에 쉘부른공원이라 매일 가서 산책을 하고 즐겼다. 비엔나커피는 비엔나에 없다는 사실만 알게되었다. 그래도 친구에게 물어보니 멜랑쥐커피가 그나마 비슷하다고 했다. 중국에는 실제로 자장면이 없는 것과 비슷한 모양이다.

비엔나에서 한적한 전원생활을 하고 친구네 친척분이 오페라극장직원분이라 90퍼센트 할인된 티켓으로 각종 공연들을 본 것이 지금 생각해보면 너무 좋았다. 2-3달 머물기도 해서 비엔나 구석구석은 지금 내가 본가 구석구석을 아는 것처럼 훤하다. 한국은 금방 다른 건물로 바꾸지만 에어컨도 설치하기 어려울 만큼 두꺼운 벽이지만 문화를 지키고자 하는 비엔나 사람들을 소망을 따라 비엔나는 계속 비엔나였다. 늘 그 자리에 나무처럼 서있어서 언제든 오라고 이야기해주는 것 같다.

비엔나 소세지도 한국에서 유명해서 영양교육전공자답게 묻어보았는데 아예 다른 함량이어서 머쓱했던 기억이 있다. 소세지는 독일도 유명한데 처음의 번역이나 적용이 얼마나 중요한지 새삼 알게 되었다.

우리나라는 미국식으로 번역되는 것들도 많은데 프라하에서 기차예매하다가 프라하가 없어서 당황했는데 친구남편이 프라끄로 찾아야한다고 했다. 내 생각안에서의 내 생각, 이런 것이 진정한 여행에서의 깨우침이 아닐까?

친구가 비엔나대학교에서 교환학생을 하고 석사과정을 공부해서 비엔나 대학 도서관을 갈일이 많았는데 도서관이 그냥 박물관이다. 내부까지는 어려웠지만 안뜰에서도 공부하고 자유로운 방식을 느낄 수가 있었다. 난 여기서 임용고시 공부도 했었다. 워낙 티오가 없는 전공이라 처음에는 열심히했지만 우리 전공 티오를 거의 없앤 것을 보고 나라에 기대하는 바가 없어졌다. 문득 일반사회전공 티오를 0으로 만들어서 장관 독대를 해서 1명의 티오를 확보했던 학생분이 생각난다. 계획이 없는 나라같기도 했고 그래서 니는 26살까지 양육비를 받고 국회의원들이 존경받는 비엔나여서 약간 부러웠다.

유관순언니가 어떻게 지킨 대한민국인가..참 생각이 많아지는 날이다.

오스트리아는 [키스]로 유명한 클림트의 고향이다.

이 화가를 좋아해서 관련된 서적을 거의 다읽은 것 같다. 부모님께서 금세공업자여서 금을 자유자재로 사용할 수 있었다고 하는데 금색을 좋아하는 나와 그래서 통했나 싶었다. 클림트의 그림 중에 알려지지 않는 그림을 제일 좋아한다. 나만 아는 비밀같은거 같다.

에곤실레도 유명한 오스트리아 화가다. 선을 이용한 스케치가 많이 유명하다. 그런 그림뿐만 아니라 다른 그림들도 많이 그렸는데 전체를 알아야 그 사람이 바로 보인다는 생각이 들었다. 화가의 고향에서의 화가의 그림과의 조우 가슴 떨리는 경험이다.

중국은 그래 이렇게 가려고 했어. 가까우니깐

하나투어 크루즈에서 선물로 면세점 상품권을 주어서 지난 여행에 사용했는데 정신이 없어서 인지 깜박하고 면세점에 산 물건을 놓고 왔다. 이런 일도 생기는구나. 그래서 다시 찾을 여러 방법을 알아봤지만 면세구역이라 직접 가야하고 한달 안에만 찾을 수 있다고 했다. 면세점에서만 구입할 수 있는 디저트라.. 난 여행사에 전화해서 가장 빠르게 출국하는 나라를 물었고 그렇게 난 중국 제남에 가게 되었다.

제남은 처음 들어봤는데 우선 짐을 꾸리고 갔다. 내가 모른다고 해서 안유명한 것은 아니고 유명한 것도 아니다. 제남은 심지어 많은 글들이 한국어다. 뭐지? 이렇게 한국 사람이 많이 온다고? 분위기를 보아하니 산에 많이 오르는 것 같았다. 예정에 없었지만 그래서 더 신이 났다. 식당도 다 한국어다. 신기한 일이다. 이런 곳이 존재하는 구나.

그런데 갑자기 온 여행에 친구도 없고 와이파이를 못하겠다. 며칠만 참아보자고 했는데 와이파이 도시락을 해온 분이 같이 쓸 수 있다고 해서 와이파이 도시락에 대해 또 배웠다. 세상 좋다.

산과 산을 넘어간다고 했는데 투명다리라니.. 난 가겠다고 했다. 고소공포증도 있었고 무서웠다. 엉엉 울어버렸는데 일행 중 한 분이 손을 잡아주셔서 굴욕적으로 기어갔다. 카노사의 굴욕이 이랬을려나. 모든 사람이 쳐다본다. 손을 잡아 주신 분의 남편은 짚라인을 타려고 오셨다는데 성향이 이렇게 다르다. 하긴 어렸을 때 4남매 다 겁이 많아서 엘리베이터도 못타서 우리 아빠는 아파트를 팔았다. 역시 멋진 우리 아빠, 자식들 일이라면 그리고 고모부가 일찍 돌아가셔서 셋째 고모네 자제들까지 챙기는 모습. 오빠들은 그래서 명절이면 늘 아빠를 찾아왔었다. 그래서 아빠의 사랑을 팔분의 일만 받은 거 같지만 내 울타리가 되어준 것만으로도 감사하다. 늘 선택권을 주고 강요하지 않으셨던 진정한 교육자시다. 보여지는 교원자격증이나 학벌이 무슨 소용인가? 진정한 것은 마음이다. 어떤 것을 보던 어떤 일을 하던 늘 가슴 속 깊이 자리 잡고 따르고 싶은 그런 것이 가족을 떠나 진정한 한 인간으로서 존경한다.

Tip

각자의 여행스타일이 있을텐데 가까운 나라는 갑자기 생기는 일정에 맞추면 시간을 아낄 수 있다.

mijin250
jyango521님 외 2명이 좋아합니다
mijin250 #디저트때문에이렇게개고생
2019년 4월 7일

베트남 다낭

베트남
*
다낭

여행계에서는 3명이서 시간도 맞춰야해서 가까운 아시아위주로 갔다. 중국같이 가까운 곳은 나중에 가자는 모토가 생겼다. 혼자가니 체계적으로 되었다. 변수가 컨트롤이 되었던 것이다.

제일 기억에 남았던 것은 베트남 야시장이었다. 아주 조그마한 의자들 내 사이즈라 엄청 반가웠다. 거의 쪼그리고 앉아서 맥주도 먹고 야경을 구경하는데 신났다. 유럽쪽은 발이 안닿는데 친숙했다. 약간 이상한 냄새가 났지만 그래도 야경이 더 좋아서인지 금새 잊혀졌다. 베트남은 프랑스지배를 받을 때 빵만드는 기술도 배워서 빵이 맛있었다. 베트남 음식으로 유명한 반미는 바게뜨샌드위치아니었던가?

난 세계여러나라 요리를 배우는 것도 좋아하는데 폴라드음식을 배우러 갔을 때 그전에 반미를 먹었는데 고

수가 들어가는 줄도 모르고 시켰다가 쌀국수처럼 속이 보이지 않으니 몰랐던 거다. 폴란드 음식만드는 수업 절반을 못들었다. 나 굉장히 약한 사람인 것을 처음 알았다. 어찌나 아프던지 고수는 나랑은 안맞다.

자기자신이랑 맞는지 안맞는지를 발견해 나가는 것도 여행의 기쁨이다.

다행히 베트남은 언니들이 덜 싸웠다. 인도랑 같이 생각해보면 젊은 남자가이드가 있을 때 세력싸움을 하는 것 같다. 나랑 가장 친했던 친구도 그랬으니 말이다.

Tip

베트남 호텔은 특이하게 호텔 바닥이 카펫이 아니고 타일이다. 물잔이라도 떨어트리면 배상은 물론 다칠 수도 있다고 하니 조심하자.

포르투갈 모르셨을 것 같아요
에그타르트의 나라입니다 대단한 나라죠

포르투갈
*
리스본

강남에서 새로 생긴 에그타르트를 먹어봤는데 언니들이 엄청 맛있다고 해서 먹었는데 그닥 모르겠었다. 늘 입만 고급이라고 부르시는 어머니덕분에 내가 입맛은 고급이라고 아주 빨리 깨우쳤다. 한끼를 겹치게 먹지 않으니 말이다. 그런데 포르투갈에서 먹은 에그타르트의 그 식감은 아직도 생생하다. 페스츄리의 향연!

2개나 먹고 아트적 요소가 있는 디저트를 선호하는데 에크타르트는 그냥 진리다. 왜 본고장에서 먹는 것이 중요한지를 깨닫게 해주었다.

포르투칼 항구에서 대중교통도 보고 전차도 보았다. 멀리 가지 않아도 되었던 것은 입구부터 구경거리가 너무 많았다. 가고 싶은 커피숍이 너무 많았다 지금 생각해보면 호날두의 나라인데 그때는 그것조차 몰랐으니 내가 얼마나 운동을 멀리 하는지 아실 듯한데 이번 카타르 월드컵은 9퍼센트의 말도 안되는 확률로 도전을 한 우리나라의 정신이 너무 멋졌다. 포기하지도 않았다.

난 포르투갈을 에그타르트의 나라로 기억한다. 사람마다 기억하는 방식을 다르니 말이다. 지금도 에그타르트가 너무 먹고싶다. 포루투갈의 시장도 갔는데 스페인과 더불어 세라믹강국인 것을 가서 알았다.

스페인이 전세계 1위의 관광국이지만 마케팅을 하나도 안해서 모르는 것처럼 포르투갈도 세라믹에 대해서는 홍보하지 않았지만 막상 가니 여기저기 파는 물건들이 많았다. 긴 여행중 세라믹이 깨질까봐 사지는 못했고 대신 앞치마를 샀다. 세라믹모양에서 제일 많이 보았던 앞치마말이다. 지금도 제일 아끼는 앞치마고 요리할 때 사용하면 포루투갈의 항구냄새가 나는 것 같다. 즐겁다.

Tip

인도여행에서도 캐리어가 고장났고 이집트에서도 그랬다. 그 이유는 막 던져서이다. 이 나라들은 항공사의 블랙리스트기도 했는데 얼마전 인스타에서 던지는 모습을 포착해서 더욱 확신을 했다. 첫날부터 캐리어가 고장나면 속상하기도 하고 불편하기도 하다. 패키지여행에서는 살 수도 없다. 다행히 한국에 와서는 대한항공으로 인도이동할 때 고장난 것이라 인천공항에서 그냥 무난한 것으로 바꿔줘서 올 때는 편안하게 올 수 있었다. 이런 시스템도 캐리어가 고장나야 알 수있다.

그리스 콰토르, 아르고스텔리 여기가 최고야

그리스
*
콰토르, 아르고스텔리

단 하나뿐인 디자인 수영복이 내 발걸음을 멈추었다. 명품도 아닌데 저걸 사야하나 고민하는데 200유로였던 것 같다. 물론 몸매는 안습이었지만 고민하다가 수영복이 파는 편집샵에 앉았다. 가슴이 파인게 흠이었지만 프라스에서 뽕없는 비키니도 봐서 익숙하다. 아르고스텔리는 항구도시고 비행기로는 오기 어려워서 지상의 낙원같았다. 거기 있는 끝내주는 몸매를 보고 참았다. 크루즈에서는 내가 제일 젊어서 엄청 눈에 띄일 것 같고 남친이 난리가 날 듯해서였다.

그 돈으로 안먹어본 음식을 먹어보자고 다짐했다. 역시 난 먹는 것에는 투자를 아끼지 않는데 거의 버릴 것이라 예상한 해산물들을 사진으로라도 남겨보고 어떤 식인지라도 보고싶어서 주문했다. 코스로 나오기 시작한다. 레스토랑은 너무 예뻤지만 맛은 내 스타일이 아니었다. 한술도 뜨지 못했다. 먹물파스타 본고장에서 먹어보고 싶었지만 위에 다행히 샐러드를 올려줘서 그것만 먹으니 직원이 맛이 없냐고 묻는다. 배부르다고 대답해주었다. 고향이 바닷가가 아니기도 하고 난 해산물은 원래 잘 못먹었다.

음식에도 트라우마가 있어서 몸에 좋은 음식을 그 사람이 받아드리지 못하는데 권하거나 좋다고 강요할 수는 없는 것 같다.

음식이 끝나고 후식을 먹는 시간은 나에게 행복한 시간이다. 내가 왜이렇게 디저트에 열광하는지는 대한영양사협회에서 주관하는 강의에서 알게 되었다. 태초부터 단백질 식품은 먹으면 위험한 것도 있고 상할 위험성이 많은데 당분은 위험성이 떨어져 건강이 약한 사람이 선호한다고 했다. 아 그래서였구나. 무릎을 탁 쳤다. 역시 아는 것이 힘이다. 그때 내가 미국으로 박사과정을 하러 간다고 생각한 결심이 더욱 확고해졌다.

Tip

외국 레스토랑들은 음료까지 시키는 것이 에티켓이랍니다. 그리고 어제 제가 애정하는 푸드 클로니클에서 나온 이야기인데 이탈리아는 도우가 얇아서 1인1피자가 원칙이고 뉴욕은 워낙 크니 나눠먹어도 된다는 이야기를 들었어요. 여행가기 전에 이런 것들을 알고 가면 서로 좋을 것 같아요.

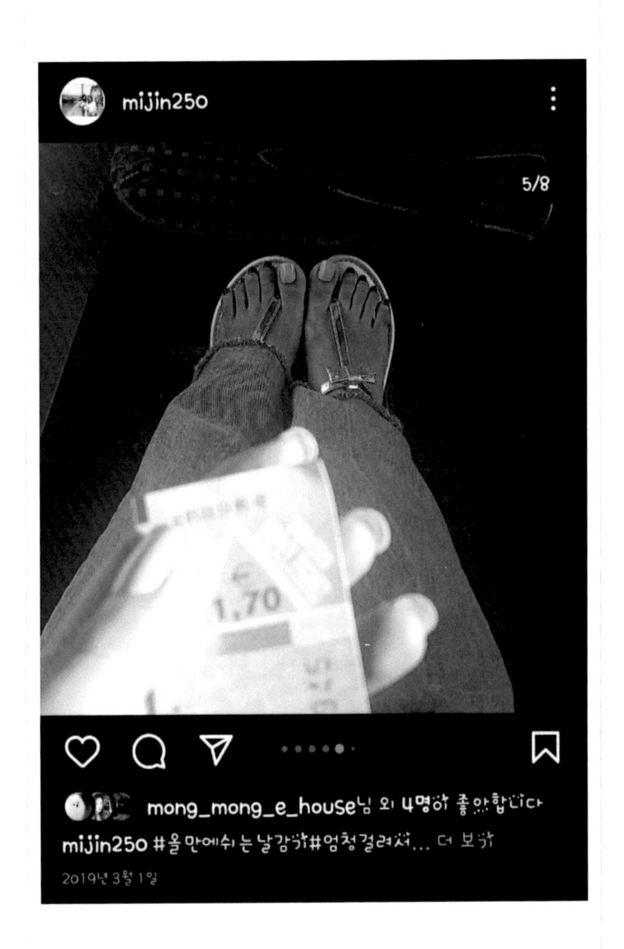

mijin250
5/8
1,70
mong_mong_e_house님 외 4명이 좋아합니다
mijin250 #올만에쉬는날감기#엄청걸려써... 더 보기
2019년 3월 1일

Kotor

mong_mong_e_house님 외 6명이 좋아합니다

mijin250

#그리스넘나좋았던#나중에노후에살고싶다#따뜻하고평화롭고#넘좋아#카피숍도나라중에제일예뻤던거같아#카피숍편집셥에서수영복살껄#어하러브#그리스

2019년 3월 1일

그린란드 춥다

그린란드
*
콰토도르

그린란드는 가본 사람이 별로 없을 것 같다. 관광지도 아니고 얼음이 가득하고 춥다. 기항지여서 나도 내려봤는데 상쾌한 추위였다. 하나밖에 없는 박물관에서는 그린란드의 역사를 보여주었는데 우리나라 사람이랑 외형이 똑같다. 신기했다. 예전에 같이 살다가 나눠진 것인가 싶었다. 궁금증이 생겼지만 물어볼 사람이 없었다. 더 문헌을 찾아봐야겠다는 생각이 들었다.

식사를 할겸 레스토랑을 찾았는데 그린란드에 하나뿐이 호텔이라고 했다. 크루즈 사람들도 인산인해를 이루었지만 1인인 나는 금방 자리를 찾았다. 그리고 테이블 차지한 게 미안해서 아일랜드에서 못먹어 본 (아일랜드에서 아이리쉬커피를 먹으려 했는데 내가 간 곳에서는 안팔았다.) 아이리쉬커피를 팔아서 커피를 시켰는데 맛없다. 술이 들어간 커피라는데 운이 좋아야 그 나라에서 유명한 것을 먹을 수있으리라.

샐러드도 시켰는데 그린란드는 지리적 위치로 인해서 신선한 채소를 일주일에 한번 공수받는 다고 했다. 샐러드가 시들었지만 이해할 수 있었는데 비린내가 난다. 같이 식재료를 다듬은 모양이다.

영양사시절 여러 가지 요건상 학교급식만 원칙을 지킬 수 있었다. 종류별 도마사용이 그것인데 아쉬웠다. 메뉴를 하나도 먹지 못했다

친구네집으로 자주 놀러갔을 때는 느끼지 못한 일이었다. 크루즈100일간 타면서도 크루즈 음식이 물렸는데 이제 돌파구르 찾고 싶었다. 음식이 이렇게나 중요하다. 춥고 배고프고 얼른 기모로 된 옷을 꺼내 입었다. 자리가 없어서 테라스에 앉아는데 그나마 햇볕덕에 따뜻했다.

다행히 외국에서 난 병원을 가지 않았지만 거의 커피숍하면서 얻은 통증 때문에 마사지를 이용한다. 크루즈 안에서도 받았다. 나중에 남친이 생겨서 남친이 해주기도 했지만 말이다. 이런 것처럼 외국은 감기에 걸려서 병원에가도 의약품 남용을 대비해 약처방보단 30분 햇빛 쬐기같은 처방을 내린다고 하니 누이좋고 매부좋은 일이다. 추우면 난 늘 좀 아프다. 근육이 긴장해서

라는데 맞는 말인거 같다. 어제도 눈이 내렸는데 도서관가면서 산책을 한시간 정도했는데 눈길이 미끄러워 몸살에 걸렸다. 40정도 되니 이제 날 잘알아간다. 내가 제일 좋은 친구이다.

크루즈 안에도 의사분도 계시고 의무실도 있다. 각종 편의시설이 놀랄만큼 잘되어있다. 그런데 가격은 비싸다고 하는데 이용해 보지를 않아서 모르겠다. 나이든 승객이 많으니깐 그런가보다. 인도네시아에는 첫기항지였는데 그때 코모도 도마뱀을 보러갔다가 쓰러진 어르신을 보았다. 그러면서 들린 이야기인데(난 영어 리스닝은 잘한다. 작문이 어렵다. 노력중이다.) 며칠전 바다를 계속 지날 때 태평양쯤에서 헬기가 왔다고 한다. 스케일이 다르다. 근데 엄청 비싸다고 한다. 하긴 생명이 제일 귀중하다.

내가 묵은 숙소는 크루즈에서 방이 제일 큰 것 같았다. 물론 스위트룸도 있지만 한정적이니 이내 차버린다. 가격도 제일 비싸다고 들었다. 난 장애인 룸이었다. 1인인데 싱글 차지덕에 2인요금을 내서 준건가? 라는 생각이 들었다. 휠체어를 넣어야 하고 이동해야하니 제일 크다. 며칠 전 장애인관련 4호선 시위와 오버랩되면 우리나라 장애인식에 대해 슬펐다. 난 지옥철을 한번

겪고 직업을 과외교사로 바꾸었다. 그런 지옥철마저 경험해보지 못한 장애우분들 내가 조금씩 불편해지는 것이 낫다. 이번 이승기님의 기부 건도 내 삶을 다시 되돌아 보게 만들었다.

나도 공부하기전에는 일정한 기부가 도움이 된다고 하여 했는데 실상 직접 어려운 분에게 돌아가지 않는다고 해서 멈춘 기억이 있다. 지금은 블로그 작업에 심혈을 기울이지 못하지만 이제 공부로 전환해서 정성껏 써보려고 한다. 그래도 사진이라도 꾸준히 올린 것은 블로그 1개를 올리면 콩2개를 주고 그 콩은 돈으로 전환해 기부한다,

어렸을 때 한통 전화를 걸면 2000원이 기분된대서 했다가 아빠가 전화요금 폭탄이 나왔다며 우리가 불우이웃이라고 했다. 하긴 자식이 네명 이니.. 그 뒤로는 자립적으로 하려고 노력했고 중학교때는 200시간 넘게 봉사활동을 하는 등 노력했다. 그보다 더 중요한 것은 항상 감사하는 마음을 지니는 것일 것 같다. 며칠전 자원봉사자들 모임에서 파티도 하고 꽃꽂이 교실도 해서 다녀왔다. 다문화 가정에 재능기부 과외도 했고 나눌 수 있을 때 나누는 것이 바람직하다고 생각하고 실천하려고 노력한다.

크루즈안에는 수영장이 서너개되는데 중앙에 있는 수영장에서 갑자기 기계가 움직인다. 장애우분을 내려주는 기계란다. 와 탄성이 나온다. 멋지다. 이런 생각하지하는 여유로운 마인드가 부럽다.

Tip

북유럽 크루즈선은 싱글룸이 따로 있는데 1인비용은 아니고 1.5인용 비용정도 인 것 같았다. 점점 이런 방이 느는 추세라고는 했다.

mijin250 #그린란드는 빙하만 멋있다. 아일랜드에서도 안보였던 아이리쉬커피를 그린란드 콰토도륵에서 보고 역시 술이 들어가서 별로 못먹고 카페마저도 만석 도시에 하나밖에 커피숍이 없다니 그나마 호텔이라서 그런듯 아이슬란드는 힐튼계열호텔이라 대박이었는데ㅜ여긴 별로다

2018년 8월 3일

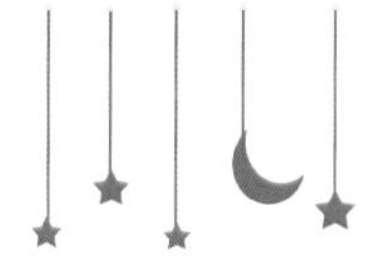

인도네시아 코모도 도마뱀아 안녕!

인도네시아
*
코모도섬

크루즈여행은 동선은 기억이 안나지만 무엇이든지 처음은 기억하는 것처럼 인도네시아가 첫기항지라 기억에 선명했다. 한 일주일 넘게 바다에만 있다가 드디어 도착한 기항지인데 그냥 섬이라고 끌리지는 않았지만 기항지관광을 하지 않으면 말그대로 안되는 곳이었다. 집에서도 일주일은 안있어 봤는데 배를 탈출했다. 인도네시아 코모도섬은 가을인지 낙엽이 떨어져있고 열대우림분위기는 아니었다. 음산하고 무서웠다. 레인저라는 분이 아주 길고 튼 막대기로 수풀을 치면서 길은 만들고 도마뱀이 오면 쫓아 주셨다. 그런데 그 인도네시아 외딴섬에서 로밍해온 전화가 와서 난 통화하느라 제대로 구경을 못했다. 그때 부동산관련문제라 어쩔 수 없었다.

그래서 크루즈를 노년에 가는구나 했다.

큰 도마뱀이 출몰하는 곳은 피해서 지나가다 레인저가 소리친다. 꼬마 도마뱀이라고 꼬마도마뱀이라고 작지않다. 각 개체군마다의 크기가 있지 않은가? 도마뱀이 이라고해서 슬로베니아 동굴 속 도마뱀은 손가락 크기인데 인도네시아 코모도섬의 도마뱀은 새끼가 세퍼트크기다. 기세도 대단하다. 무서웠다. 어떤 할아버지는 나이도 많으시고 해서 쓰러지셔서 눈앞에서 그 모습을 보니 무서웠다. 노약자주의라고 미리 투어에 고지되어 있어야하지 않았나 싶다. 난 동물보다 식물이 좋은데 시기가 별로다 섬야생식물도 별로 못보고 무서운 도마뱀만 봤다. 하긴 도마뱀도 스트레스일 거야. 하며 스스로 위로해본다.

Tip

내가 간 크루즈는 세계여행크루즈였기 때문에 동선상 수에즈운하를 지나는데 거기가 좁아서 배가 작다. 오히려 짧은 일정들이 가능한 젊은 층은 수에즈운하나 멀리 돌아가지 않아서 큰 배나 최신형이 많다. 크루즈를 약간 맛보고 싶으시다면 그런 배들을 강추한다. 미국선사들이 많다. 물론 내가 탄 프린세스크루즈도 미국선사긴 하지만 미국선사가 프린세스만 있는 것은 아니니말이다. 그런 것을 정리해놓은 책도 있다. 난 시중에 나온 책을 다 읽은 것 같다.

mijin250

4/4

myorororo님 외 3명이 좋아합니다

mijin250 #코모도 섬 인도네시아 괜히 다녀왔다. 코모도드래곤 무섭다 ㅜㅜ 일주일만에 육지를 밟았다

2018년 6월 14일

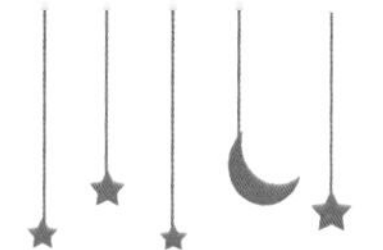

싱가폴 그냥 동네같다 유럽의 로마같다

싱가폴
(도시국가)

"모든 길은 로마로 통한다."처럼 싱가폴도 리콴유가 세금정책을 써서 많은 나라들의 금융, 유통의 허브로 만들어 놓은 것도 있고 여러 가지 이유로 싱가폴은 어디를 지나가도 들릴 수 있는 곳이다. 공항도 많은데 또 짓는다니 그 규모가 하루가 다르게 성장한다. 크루즈에서도 꼭 지나치고 단기일정으로 싱가폴, 말레이시아 가는 크루즈도 있다. 일주일정도인데 크루즈를 체험해보기 좋은 경로이다.

아무리 책을 읽어도 이론이라 난 직접 크루즈를 타보기도 한다. 이집트의 나일강크루즈나 헝가리 크루즈는 하루이틀만 묵는 그냥 숙소같은 것이지만 나머지 진정 크루즈여행은 그 안에서 수업도 듣고 운동도 하고 삶이 된다. 삼삼오오 모여서 떠난 크루즈여행에서 난 맞춘 한복으로 드레스코드를 정해서 가져갔다. 한복이 구겨지는데 스프레이도 전날 밤 뿌려두면 펴진다고 해서 그렇게 하고 크루즈 선상파티를 갔다. 가이드분도 계셨는데 레스토랑을 잘 안가보셨는지 음식을 잘 안좋아하셨는지 식당에서 주문을 하는데 애를 먹어서 일행에게 알려주었다. 내가 괜히 영양교육전공자가 아니구나 했다.

난 크루즈로 싱가폴과 말레이시아, 랑카위를 갔지만 육로도 있단다. 그게 제일 저렴한 방법이고 국경을 걸어서 통과한다고 하니 신기하다.

싱가폴에 친구가 살아서 가끔 소식을 듣는데 이민을 갈 때 아들이 있어서 쉬웠다고 했다. 남편이 체육교육전공에 테니스선수인데 싱가폴에서 테니스를 가르친다고 했다. 싱가폴에서의 테니스는 우리나라 배드민턴같이 국민 체육이라고 한다. 가끔씩 친구가 인스타에서 소식을 전해주어서 더 친근한 나라이다.

싱가폴은 서너번갔는데 그때마다 야경을 구경하면서 식사를 하고 식물원도 가고 수륙양용차가 싱가폴에 처음도입되어서 물어물어 타러가기도 했다. 신기한 경험인데 이제 우리나라에도 부여에 있다고 하니 격세지감이다.

아는 분이 호텔을 하시는데 그 분께서 이야기하시길 싱가폴은 같은 디자인의 건축물은 허가가 안난다고 한다. 그래서 특이한 건물이 많았구나 생각이 들었다.

머니머니해도 난 싱가폴에서 냄비셋트를 산 것을 잊을수가 없다. 저번에도 사용한 냄비도 내 잇템이다. 인덕션이 없던 시절 이미 싱가폴은 인덕션문화라 겸용으로 냄비셋트가 나왔는데 인덕션위에 신문지를 깔고 그냥써도 불이 안붙는 것에 1차충격을 받았다. 영양사를 했기에 담배를 피지도 않는 경력자 조리장님들께서 폐암에 걸리신 것을 많이 본 탓이다. 그 무겁고 진귀한 물건을 이고지고 한국에 왔다. 짐부피가 커서 대한항공의 무게함량 제한도 알게 되었다.

관광지의 이국적인 모습도 그렇고 삶의 다양한 모습, 그리고 내 삶에 적용해서 좀더 긍정적인 방향으로 바꾸는 것, 내가 여행을 하는 이유다.

Tip

외국에서 새로운 물건을 사면 추억도 되고 얼리어답터가 될 수 있어요.

선상파티에 참여하려고 직접 주문한 한복

mijin250
3/5
PRINCESS CRUISES
eileenryuu님과 sonddami님이 좋아합니다
mijin250
#다행히퍼스공항까지셔틀버스가있어서택시비굳었다안토니를
봐서좋았고#곧온다니깐#퍼스처럼조용한곳에서여유롭게전원
생활하고픔

말레이시아, 랑카위

말레이시아
*
랑카위섬

말레이시아와 랑카위섬은 싱가폴크루즈를 가면서 연결해서 다녀왔다. 크루즈나 일반 여행이나 우리나라 사람들은 묶어서 가는 것을 선호한다고 한다. 말레이시아는 살짝 걸치고 랑카위섬에서 머무는 시간이 많았다. 독수리가 많아서 불리어진다고 했는데 독수리를 눈앞에서보니 엄청 크다. 좀 무서워서 피해다녔다.

랑카위섬을 돌아녀보니 영락없는 관광지였다. 예전에 말레이시아에서 사진모양으로 장식해주는 커피를 잡지에서 봤는데 서울에서 김서방찾는 격이었다.

다시금 느끼는 것이지만 여행루트를 좀 자세히 알려주면 좋겠다. 예전에는 인아웃을 늘 같이 하는게 패키지여행의 정석이었지만 이제는 인아웃도 다르게 하지 않던가. 바쁜 현대인들이 같이 한국에서 출발하는 것이 아니라 그 나라에서 만나서 같이 하는 것도 재미있는 것 같다.

싱가폴크루즈에서 단연 좋았던 점은 스타크루즈임을 알려주는 디저트들 이었다. 깃발을 꽂고 나와서 저 좀 즐겨주세요 라고 외치는 듯한 디저트!

디저트의 소원대로 먹었는데 그건 천상의 맛! 잊지 못할 커스텀 디저트였다. 난 왜 메인보다 디저트가 좋은지 모르겠다.

Tip

다들 아시겠지만 인아웃을 설명드리자면 예를 들어 유럽 여행을 할 때 인이 런던이면 런던으로 입국하는 것이고 아웃이 파리이면 파리에서 출국하는 의미이다. 기우로 다시 짚고 넘어갑니다.^^

TODAY'S THE DAY!

TIME | PROGRAM | VENUE

MORNING

11:00am - 9:00pm

11:30am - 12:00nn

11:30am - 12:00nn

11:30am - 12:00nn

"DREAMGIRLS" in Paradise Hotel

"Register now

ds at Work Party

Going in Style

003983

MUSICAL ENTERTAINMENT - MUSICIANS FROM THE PHILIPPINES

사운드 클리어 밴드
오시아나, 12층 중앙
8:00pm - 8:45pm
9:00pm - 9:45pm

사운드 클리어 밴드
오시아나, 12층 중앙
10:15pm - 11:00pm
11:15pm - 12:00mn

7:45pm - 8:30pm
8:45pm - 9:30pm
9:45pm - 10:30pm

11:00pm
12:00mn

에콰도르를 내 생에 가볼 줄이야

에콰도르
*
만타

며칠전 인친분이 에콰도르에서 살다왔다고 하셨는데 참 여행가는 분을 보기 드문 나라다. 만타에 도착해서 이리저리 둘러봐도 관광객을 위한 곳은 별로 없었다. 동네 한바퀴나 돌자 싶어 점점 길을 따라 걷다보니 본가의 언덕길이 생각났다. 예전 대통령 별장이 있었다는 곳인데 여기도 숨은 배경맛집이었다. 다른 것은 없었지만 좋은 곳은 있었던 곳! 마음이 편안해지는 경험을 했다. 빵을 하나 사서 먹어볼까 했지만 동네는 너무 한적하고 관광객은 맞아보지 못한 느낌이어서 크루즈선으로 돌아가서 무엇인가를 하자고 생각했다. 돌아오는 길에 시장에서 왁자지껄 사람들이 이야기하는 소리를 들었다.

지금까지의 정적을 깼지만 왠지 모르는 반가움이 들었다. 크루즈로 돌아오니 에콰도르의 모자를 샀다는 어르신이 계셨다. 음.. 난 사도 안쓸 모자긴했다. 페도라처럼 생긴모자였는데 내 생애 페도라를 써본적은 없었지만 수제라는데 갑자기 생긴 시장에서 보자 조금 욕심이 났다. 하지만 집으로 가는 짐이 과연 제대로 도착할까 라는 의구심으로 사지 않았지만 후회되지 않는다. 차라리 아기자기한 기념품이라면 내 기념품장에 전시될텐데 스페인과는 비슷하게 유명하지는 않은 관광지였지만 의미는 달랐지만 나에게 사색의 시간을 주어서 고맙다.

Tip

도시락을 싸서 나가는 것이 좋을 것 같아요. 매장이 별로 없고 늦게 엽니다~

코스타리카 네일맛집을 찾다

코스타리카
*
산호세

코스타리카는 앵무새를 떠오리는데 기항지 항구에 내리자마자 앵무새 굿즈들로 가득했다. 하나하나 다 구경하고 나갔는데 이런 것도 소소한 재미이다. 키링도 구매하고 생각나는 사람들의 선물을 보니 그리워진다. 이런 적은 별로 없는데 4개월의 여행기간은 길기는 길다.

항구에서 쭉나가니 거리에 은근히 네일샵이 많았다. 당일예약이 될지는 모르지만 참새가 방앗간을 지날리 만무하니 문을 두드렸다. 다행히 된다고 하니 얼마나 기쁘던지.. 우리나라처럼 아트는 없고 원칼라만 있었다. 크루즈 안에서도 한국에서 해간 손톱을 보고 놀랐다. 프렌치까지 된다고 했던 아프리카언니는 그 솜씨가 좋았다. 아트는 아시아권에서 많이 하는 것 같았다.

네일을 하고 나와도 밝다. 우선 걷자. 모든 거리가 이국적이고 생소했다. 해안을 따라 걷다가 노니나무 열매를 직접봤다. 더운나라라 그런지 노니가 엄청 컸다. 노니 몸에 엄청 좋은데 하면서 관찰했다. 저번 스리랑카에서의 페퍼와 코스타리카의 노니는 식물을 좋아하는 나에게 백과사전 같았다. 그것도 실제 존재하는 백과사전.

근처에 호텔이 있길래 커피한 잔을 하러갔다. 더운나라여서 그런지 이색음료도 많았다. 우선 커피를 먹고 사먹자고 다짐하고 호텔 창가에 앉았다. 크루즈는 거의 10시에는 들어 가야해서 마음이 바빠졌다. 커피여행기 같다. 저번 크루즈를 통해 나의 일도 업그레이드 되길 바라면서 한 나라에 들리면 꼭 이것저것 먹어 보았다. 코카콜라는 음료의 대명사가 되지 않았는가? 누구나 즐기고 늘 옆에 있는 음료를 만들고 싶었다. 나는 차나 음료를 마실 때 행복하니깐, 아까 걷던 해변이 창안에서 보니 또다른 해변같았고 또다른 곳에 있나 라는 착각을 불러 왔다. 이래서 작가들이 커피숍을 즐겨 찾았구나.

Tip

코스타리카에는 다양한 공예품이 많아요. 구경하는 재미가 쏠쏠하답니다. 손재주가 많은 사람들 같아요.

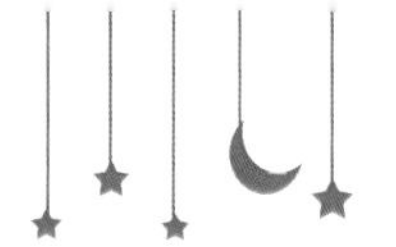

찰스턴이 지닌 슬픈역사

미국
*
찰스턴

난 미국을 동경하지도 싫어하지도 않고 그냥 유에스에이 단어이다. 크루즈에서 만난 분은 유에스도 미국이라는데 표기는 다 역시 다르다. 뉴욕은 커서 신기했고 오만가지가 다 크다. 식비가 많이 안들었다. 근데 정크푸드라 영양사인 나에게는 좀 피해야 할 음식이라고 생각했다. 무슨 에끌레어가 방망이 크기인지 지금 생각해도 재미있다. 여럿이 가서 나눠먹으면 좋은데 말이다. 그런 뉴욕을 뒤로 하고 남부 찰스턴을 갔다. 생소했는데 크루즈 신문에서 나온 역사를 보고 박물관에 가려고 했다. 박물관 위치도 지도에서 보니 항구 근처였다. 크루즈 여행이 좋은 건 생각지도 못한 기항지때문인데 찰스턴이 그러했다. 크루즈 기항지가 아니었다면 가보기 힘들었던 도시.

학생들에게 사회시간에 노예제도에 대해 가르쳤을

때 많이 예를 들었던 도시 찰스턴.. 그래서 난 찰스턴에 애정이 생겼는지도 모른다. 사주를 보면 늘 가방끈이 길다는 나에게 배움은 즐겁다. 그리고 역사, 사회를 좋아하는 나는 학생들에게도 그런 것을 알려주고 싶었다.

하나의 사건에서 눈에 보이는 것만이 전부가 아니라는 것과 무엇이든 바뀔 수 있고 개척할 수 있다는 의지도 알려주고 싶었다. 그리고 작은 것의 소중함 또한 말이다.

역사는 또 되풀이되어서 알고 있다면 충분히 변화시킬 수 있지만 아는 것이 힘이라는 것, 아는만큼 보인다는 것, 꼭 잊지 않아 주었으면 한다.

Tip

생소한 나라는 크루즈 신문을 참고하는 것이 좋다. 우리나라 여행책은 대부분 많은 사람들이 가는 곳 위주이기 때문에 정보도 없기 때문이다.

DAYS — NEW YORK TO SYDNEY

Princess® — 14 August to 20 September 2018

In command

Captain Christopher B. L

Captain Christopher Lye's 38 year career began in 1980 as a Junior Officer w as a Master Mariner in 1989 and has since held a wide variety of senior ma sea and ashore. Before returning to Princess in 2010, he served for ten years the UK ports of Southampton and Dover. When not at sea, he enjoys being Jenny and their two sons in the beautiful English countryside.

CRUISE SUMMARY

Ports	Knots	KMPH	Nautical M
w York to Charleston	16.7	30.9	593
rleston to Miami	13.7	25.3	410
mi to Key West	19.5	36.1	145
West to Limon	19.8	36.6	1109
on to Panama Canal	20.1	37.2	186
ma Canal to Manta	16.7	30.9	590
a to Callao	19.4	35.9	764
o to Easter Island	19.7	36.4	2035
r Island to Pitcairn	17.3	32.0	1118
rn to Papeete	18.0	33.3	1189
[illegible]	16.3	30.1	113
[illegible]	[illegible]	[illegible]	[illegible]
[illegible]	[illegible]	[illegible]	[illegible]

PARIS
»FLEURIMON«

2018년 8월 17일 미국 South Car...
Gelato
Waffles
Coffee
Milk
Shakes

마이애미 CSI

미국
*
마이애미

난 수사프로그램이나 스릴러를 좋아하는 문학작품이나 영화같은 류는 대체 경험이라고 생각해서이다. 현실에서는 절대 마주하고 싶지 않아서 대리 충족하는 유일한 분야이다. 그래서 씨에스아이를 섭렵했는데 여러 버전중에 마이애미편이 제일 재미있었다. 특히 호라시우 반장님의 특유의 센치한 말투와 표정이 잼났다. 기항지에 마이애미가 포함되어 있어 쾌재를 불렀다.

마이애미편에서 마이애미에서만 볼 수 있는 곤충덕에 실마리가 풀리는 에피소드를 보고 마이애미의 기후도 궁금했다. 항구에서 내리자마자 마이애미 해변을 가려고 하니 좀 멀어서 대중교통을 이용했다. 마이애미 버스는 열악했는데 내리는 벨대신 무엇인가를 당겨야 했던 기억이 난다. 마이애미 비치는 승객들이 많아 다 같이 내려서 정신이 없었다. 잔돈이 없어서 큰 액수의

달러를 냈던 기억이 난다. 마이애미에서 나갈 때즈음에 그 안에 셔틀버스가 있는 것을 알았다. 다행히 구경은 해보았다. 중간에 알았더라면 그 넓은 지역을 타보는건데 마이애미는 아울렛도 있고 넓은데 정작 비치는 우리나라 광안리정도로 좁다. 해운대도 아니고 말이다. 미국은 다커서 클 것이라고 생각했는데 말이다. 그래도 아담해서 좋았다. 가는 길에 버블티를 사서 더운 열도 피하니 좋았다. 버블티 가게는 아주 구석이었는데 내가 어찌 찾은 건지 그래도 다 살아남는 방법은 있나보다.

버블티를 들고 해변가로 향하는데 많은 호텔들이 있었다. 해변에 거의 바짝 붙어 있었는데 작고 아담해서 예뻤다. 크루즈만 아니었어도 자보고 싶었다.

한창을 구경하는데 안전요원이 휘슬을 불어서 정적이 깨졌다. 그래도 마이애미는 너무 좋았다. 상념에 빠져서 하늘보기 너무 좋아한다,

드라마에서는 엄청 쨍한 햇빛으로 늘 눈살을 찌뿌리면 등장한 경감님에 비해 심하게 눈부시지는 않았다. 사람도 그리 많지 않아서 좋았고 플로리다처럼 낮은 건물이 하늘을 더욱 돋보이게 했다.

Tip

마이애미에서는 얼른 알아서 무료 셔틀버스를 타세요.

예쁘고 재미있어요.

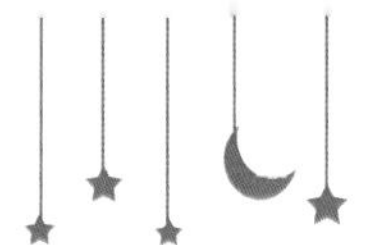

미국 플로리다로 공부하러 가고 싶다..

미국
*
플로리다

물론 동부가 학구열이 높은 동네인 줄은 알지만 전 추운게 너무 싫고 앞으로 나이를 먹으면 더 힘들텐데 ..플로리다는 나름 사전답사를 했는데 날씨가 딱 내 스타일이었다. 낮은 건물에 하늘이 보이는 배경은 내가 꿈꾸는 배경이다. 높은 빌딩만 즐비한 곳은 답답하다. 요즘 한달살이가 유행인 것처럼 어디든 오래 살면 좀 답답할 것은 같지만 그 동네 안에서 이사다니며 살면 좋으니 더할 나위없이 좋은 방법이라고 생각했다. 바다와 맞닿아있는 곳 아파트도 싫어하고 고층 건물은 더더욱 싫어하는데 플로리다의 주택들은 내 마음을 따뜻하게했다. 동남아에서도 살고 싶었지만 공부를 하고 싶은 마음이 더욱 커서 결정하게 된 부분이다.

투박하지만 옛스러운 거리와 음식점들..더운날씨답게 형형색의 모습이지만 촌스럽지 않고 좋았다. 난 모던한 것보다 지역적 특징을 가지는 것을 좋아하는데 모던한 것은 한국에도 많기 때문이다. 구경하느라 나중에 기항지근처에서 샐러드보울과 스타벅스를 갔다. 웬만하면 스타벅스를 안가는데 말이다. 이제야 한국이 샐러드보울이 보편화된 것을 보면 미국은 미국이다.

여행은 구경도 하고 즐기기도 하지만 내가 훗날 무엇을 그리게 될지의 배경도 된다. 예전에 학생들에게 경제를 가르치면서 나도 경제를 좋아하고 포브스 경제잡지를 예로 든 적이 있다. 세계 제일 부자는 집이 없단다. 언제들 살 수가 있어서 경험이 많다고 하던데 나도 부자되고 싶다.

Tip

미국음식도 안맞는 부분은 안맞아서 (크루즈음식도 빵만 맞았다.) 레스토랑은 들어가기 겁났다. 그래서 스타벅스같이 세계적인 레시피를 가진 곳이 그나마 맛을 알고 맛이 같으니 이럴 때는 고맙다. 대학가 근처고 젊은 이들이 많은 곳을 가서 샐러드를 시키면 그나마 입맛에 맞았다. 소스도 선택이니 말이다. 이탈리아에서 멸치액젓을 생각해서 시켰던 피자는 못먹어서 이럴 때는 체인점을 공통된 맛을 선호하는 편이다.

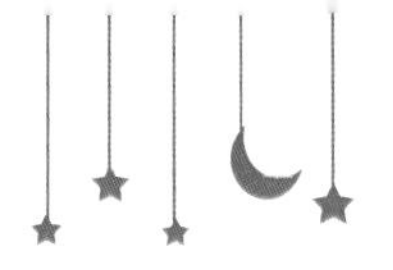

미국 뉴욕VS뉴욕

미국
*
뉴욕

수많은 언어가 미국 뉴욕을 상징하는데 나는 왜 생각이 안나는지 모르겠다. 다양한 매체에서도 보고 이미 알고 있는 것이 많아 비밀스럽지가 않아서 였던 것 같다. 뉴욕에서 무엇을 할까하다가 배가 허드슨강에 정착해서 우선 한식을 먹으러 뛰었다. 고고

뉴욕에는 한인타운이 있으니깐 너무 허겁지겁 먹어서 멀 먹었는지 기억이 안났다. 그런데 시간도 없다. 그 아까운 시간을 쪼개서 급 네일아트를 받았다. 그런데 충격 10년동안 네일아트를 받으면서 네일장갑은 받아보지도 못했는데 내 손등을 보호해주는 뉴욕 최고다. (지금 손등 레이저치료받는데 아프다.) 아트는 안되고 원칼라를 발랐지만 기분은 역시 최고다. 뮤지컬은 예약을 안해서 못보고 줄이 엄청 길어서 엄두도 못냈다.

노래로 즐겨불렀던 엠파이어빌딩과 트럼프타워를

갔는데 오마이갓 8시에 닫는다더니 일찍 닫아서 입구 근처만 구경하고 레스토랑에서 밥도 못먹었다. 까다로운 짐검사가 공항 저리가라다.

그리고 나가라고 할때까지 구경을 하고 또따른 거리를 구경하려고 뛰었는데 블록마다 너무 넓다. 시간이 아까워 김밥을 사먹었는데 어찌나 꿀맛이던지 이럴때는 한국가고싶다. 외롭지도 않았는데 음식이 날 한국으로 이끈다. 김밥이 8000원이었지만 아깝지 않다. 유통기한도 8시간이라 더 사갈 수도 없고 크루즈안에서 한국인들을 위해 만들어준 김치와 쌀은... 도무지 먹을 수가 없다. 양배추김치라니 하긴 듣도 보더 못한 것을 만들어 주셔서 감사했지만 한국음식에 대한 향수는 처음으로 여행에 우울감을 주었다. 하긴 안토니가 신라면을 구해다 줘서 친해졌는데... 음식앞에는 장사가 없다.

가까운 방탄이 전광판에 나오는 스트리트로 가서 나머지는 줄선물을 골랐다. 재미있는 기념품이 많았고 아마존 서점에서 조카 색칠공부 책과 소설책을 샀다. 이상하게 기쁘다.

Tip

생각보다 뉴욕기항지에서 브로드웨이가 가까워서 시간이 되시면 예약하시고 보시는 것도 강추입니다. 뮤지컬 본고장인 영국보다 시설이 좋더라구요. 음향이 멋질 것 같아요.

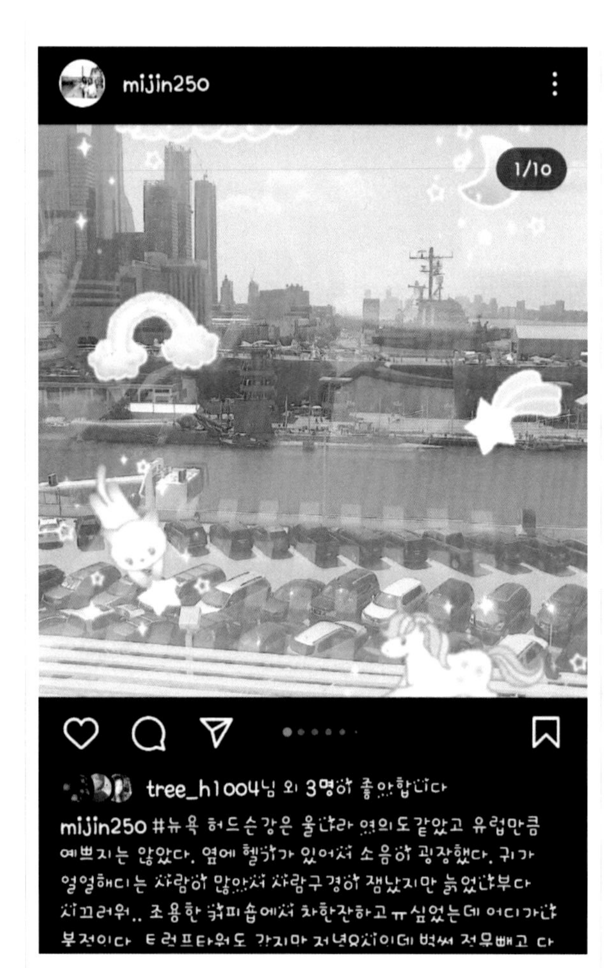
mijin250
1/10
tree_h1004님 외 3명이 좋아합니다
mijin250 #뉴욕 허드슨강은 울나라 여의도 같았고 유럽만큼 예쁘지는 않았다. 옆에 헬기가 있어서 소음이 굉장했다. 귀가 얼얼해지는 사람이 많아서 사람구경이 잼났지만 늙었나부다 시끄러워.. 조용한 커피숍에서 차한잔하고ㅠ싶었는데 어디가나 북적이다 트럼프타워도 갔지만 저녁8시이데 벌써 전무빼고 다

 mijin250 

tree_h1004님 외 3명이 좋아합니다

mijin250 #뉴욕 허드슨강은 울나라 여의도같았고 유럽만큼 예쁘지는 않았다. 옆에 헬기가 있어서 소음이 굉장했다. 귀가 얼얼해디는 사람이 많아서 사람구경이 잼났지만 늙었나부다 시끄러워.. 조용한 커피숍에서 차한잔하고 ㅠ싶었는데 어디가나 부전이다 트럼프타워도 갔지만 저녁8시인데 벌써 전부빼고 다

mijin250
DISNEY
THOMAS KINKADE
STUDIOS
COLORING BOOK
tree_h1004님 외 3명이 좋아합니다
mijin250 #아마존서점가서 조카들 줄 그림책사고~
엠파이어빌딩가고 타임스퀘어도 다녀왔다 미국은 처음인데 다
크다. 미국의 성장동력이 느껴졌다. 합리적인 사고가
거리곳곳에서 보였다. 길치인 내가 이렇게 길을 잘 찾은것도
솔직하고 정확한 길안내때문이다. 숫자로 정확하게 표현되다니

캐나다 퀘백, 사그네, 핼리팩스 셋트

캐나다
*
퀘벡, 사그네, 핼리팩스

실은 캐나다퀘백은 가는 줄 몰랐다. 사그네와 나머지 도시들은 내가 잘 모르는 곳이기도 했고 역사적 유적이 없기도 했고 말이다. 근데 이런 곳이 살기는 편했다. 캐나다 할리팩스도 가게 되었는데 크게 구경거리는 없었지만 랍스타가 유명해서 그런지 랍스타 조형물이 많았다. 랍스타에는 슬픈 전설이 있는데 우리나라가 아주 가난했던 시절 하와이에서 일했을 때 별거 없었던 랍스타를 한국인 일꾼들에게 식사대신 마음대로 잡아먹으라고 했더니 랍스타의 씨가 말라 가격이 상승했다는 웃픈이야기부터 생각난다. 근데 무엇이든 현지가 싼 것처럼 랍스타가 쌌지만 그닥 좋아하지 않고 어제 안그래도 크루즈에서 랍스타가 나와서 먹는 시늉만 했기 때문에 그닥 반갑지는 않았지만 해산물을 좋아한다면 아주 좋을 것 같다. 역시 취향차이다.

갑각류들은 비척추동물로 껍질이 두꺼워서 지탱이 된다. 이런 갑각류들은 허물을 벗으면서 성장하는데 허물을 벗을 때가 제일 약할 때가 아니던가? 사람도 약한 것을 딛고 강해지고 성장하는 것이 아닐까 하는 어느 스토리에서처럼 하나하나 의미를 부여하고 발전할 수 있는 삶을 기대한다. 40대인데 삶이 기대가 되다니 행복하다.

퀘백은 도착해서 드라마 도깨비촬영지였던 것을 알고 감격했다. 왜 그 생각을 못했는지 모르겠다. 알았었지만 새까맣게 까먹어서 새로운 느낌도 좋았다. 박물관도 갔고 여기서는 그래도 도시가 커서 한식당을 눈을 부릅뜨고 찾았지만 못찾아서 어쩔 수 없이 일식당에서 초밥을 먹었다. 흰살생선밖에 먹지 못하니 먹을 수 있는 종류가 별로 없었지만 쌀을 나에게 행복으로 다가왔다. 한국에 도착해서 그동안 평생 먹지 않은 쌀바보가 됐고 김치도 처음먹게 되었다. 이렇게나 음식이 중요하다. 지금도 뱃속이 꼬르륵 거린다. 지금도 건강상 다이어트를 하지만 크루즈에서 40킬로대가 된 기적을 경험했다. 입맛에 안맞았기 때문이다.

TIp

캐나다 할리팩스는 랍스타가 많이 잡히는 항구라 그런지 엄청 저렴하니 꼭 드세요~전 전날 크루즈안에서 먹어서 안먹었지만요. 그리고 아이스란드에서는 랍스터 버거를 먹었답니다. 원래 잘 안먹는데 외국에서 많이 먹어서 그런지 한국에 와서 먹었는데 갑각류의 권리가 있어서인지 이건 대형마트에서 삶아서 파는 것이 법이라고 하더라구요. 랍스터들이 일반인 오래 삶거나 기술이 없어서 아프다고 해요. 참 동물을 넘어서 갑각류까지 갑권을 챙기는 모습이 대단하고 부러웠어요.

mijin250
6/10
tree_h1004님 외 4명이 좋아합니다
mijin250 #캐나다 코너브룩 ㅜㅜ 별로다 역시 내가 안가본 곳은 이유가 있는듯 다른 팀은 그린란드도 좋다는데 심지어 캐시도 그래서 내가 크루즈안 프로그램이.별로거인거구나 난 동남아나 볼거 많은 남미가 좋다 그래도 오늘 브래딘를 우연히 만나 투어까지 나도 한국가서 착한일 많이 해야지

mijin250 #캐나다 사그네 퀘백옆이라 그런지 프랑스어를 하는구나. 내 짧은 불어실력으로는 쉽지 않내.
예쁜커피숍발견해서 커피한잔하고 아이스크림도 먹고 이쁜집들 봐서 힐링되어서 좋았음. 아까까지는 별로였는데 옆에 길로 가니 넘넘 이쁘다

네팔, 석가모니의 탄생지

네팔
*
카투만두

인도여행할 때 인도만 포커스를 맞춰서 내가 네팔을 가는 줄은 인도가서 알았다. 미안하긴 한데 네팔을 굳이 여행으로 갈 만한 매력을 느끼지 못한 것은 사실이다.

그래도 막상 다녀오니 잔잔한 매력이 있었다. 원래 네팔은 부처님의 고향이었다. 보통 인도로 알고 있고 나도 그랬다. 역시 사람은 그냥 믿어버린다. 하지만 이렇게 우연히 수정할 기회가 오지 않는가! 룸비니 사원에서 태워난 왕자님이셨는데 고행의 길을 걷고 성인이 되셨다하니 실로 대단하다. 보통 사람이면 편안한 삶에 안주할텐데 말이다. 불자가 아니었지만 존경심이 생긴다. 그리고 둘러본 룸비니 사원은 새삼 새롭게 다가왔다. 예루살렘도 가보고 싶은데 이렇게 우연히 부처님 탄생지를 오게 되다니 해후,.. 내가 좋아하는 단어다.

그리고 에베레스트 산맥 한자락을 올라갔다. 상쾌했

다. 모든 번뇌가 없어지는 듯했다. 그리고 또 한 사원에 갔는데 여자아이를 신으로 모셔 놓는다고 했다. 참 아이러니한게 그렇게 모셔놓고 아이를 공부도 가르치지 안않고 상징성만 부여해 나중에 그 자리에서 떠났을 때 그냥 마냥 무지한 인간이 된다고 하니 처음에는 대중이 영예를 주고 나중에는 또 대중이 찬바람을 쌩쌩 부니 다수에게 짓밟히는 여성이 보여 애잔했다. 이런 문화가 그래도 차근차근히 없어져야 하지 않을까? 저 어리디 어린 여자아이의 인생이 걱정되기 시작했다. 쿠마리 문화는 별로다. 이건 지극히 내 생각이다.

이제야 국제적인 시선에서 걱정을 하고 제도적 보완을 한다고 하니 몇 사람이 죽어나가야 보완이 되는지 가슴아팠다.

종교 때문에 문화 때문에 마음이 먹먹해졌다. 누구나에게 행복이 보장된 사회는 정녕 꿈 속에만 있는 것인가 우리가 구현할 수 없는 부분인지 원초적인 질문이 다시 머릿속을 채웠다.

Tip

네팔에서 히말라야 산맥을 살짝 맛봤지만 좋아하시는 분은 미리 예약하시고 알아보시면 좋아요.

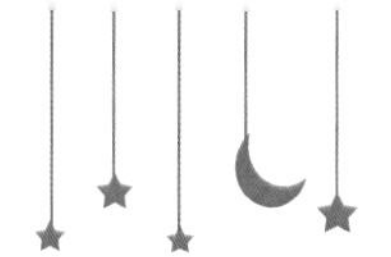

러시아, 땅이 정말 넓구나

러시아
*
모스크바

난 경유하는 여행을 좋아한다. 효율적이기 때문이다. 이집트를 가면서 러시아를 경유했었다. 추울까봐 걱정은 됐지만 이국적인 모습에 추위를 잠시 잊고 전기목워머도 해서 덜 추웠다. 만반의 대비를 해야할 듯하다.

내가 가기 이틀 전에 열병식도 했다니 조금 아쉬웠다. 그동안 러시아에 대해 그닥 존재감이 없었는데 러시아미술관도 가보고 지하철도 타는 체험을 했는데 우리나라만 빠른 줄 알았는데 머 고속열차수준이다. 어르신들은 타면 위험해 보이는 에스컬레이터였다. 안에는 이국적인 모습이여서 좋았다. 현대적인 모습은 매력이 안느껴진다.

러시아는 땅덩어리가 워낙 커서 고층이 없었다. 그냥 옆에 지으면 되니 무슨 걱정인가? 추운 땅이지만 그래도 쾌적한 인구밀도가 부러웠다. 서울태생에 아직도 본가는 서울이지만 이제 서울가면 그 많은 사람들이 답답하다. 외국에 사는 친구들이 오면 느낀다며 이야기해줬을 때 전혀 공감하지 못했는데 이제 나도 나이 들었나보다. 북적이는 시간은 피하게 된다.

그때 러시아를 못갔다면 아마 아주 오랜시간동안 못갔으리라. 푸틴이 왜저런지 자신은 벙커에 숨어 젊은 값진 목숨만 노리는 듯하다. 지금은 냉전시대도 지났는데 혹한기보다 춥다. 얼른 전쟁이 끝나야 할텐데 애꿎은 사람들만 애먹이고 이별하고 신문을 볼 때마다 눈물이 앞을 가린다. 자기가 전쟁에 젤란스키처럼 참여해야하지 않을까 싶다. 탁상공론같다고나 할까.

크렘린을 돌아보고 형형색색에 놀랐고 동화책에 나온 성같았는데 그런 것들을 앞으로 언제 다시 볼 수 있을지 너무 기다려진다.

Tip

러시아가 꽤 강대국이여서 백화점같은 곳가면 우리나라 샵보다 신상종류가 다양하더라요. 의외의 쇼핑맛집 러시아였네요.

페루 호주인 친구 술 피스코샤워

페루
*
리마

새로운 인연을 만나면 또 새로운 배움이 시작된다. 맞다. 그렇다. 크루즈에는 젊은 사람이 별로 없어서 젊은 사람들이 지나가면 그냥 알게 된다. 2박3일을 크루즈에 묵은 호주인 친구는 나보다 어렸던 남자같던데 음 키는 190센치는 되는데 내 몸무게 같은 느낌! 그런데 또 건강해서 매일 크루즈 배를 조깅하니 안친해질 수 없었다. 페루에서 피스코 샤워를 사준다고 했다. 난 페루에 그렇게 유명한 술이 있는지도 몰라서 너무 놀랐다. 우선 약속을 하고 크루즈를 나가는데 앞에 시장이 열렸다. 그런데 웬걸 아는만큼 보인다고 피스코샤워가 워낙 유명해 앞치마며 티셔츠며 다있다. 이런 머지. 페루는 쿠스코만 생각했는데 역시 시티투어를 해야겠다고 맘을 먹었다. 쿠스코까지 가려면 일정이 안맞았다. 아쉽지만 다음을 기약해야했다. 몸도 안좋긴 했다. 고산병은 그 해발미터에 가야 알 수 있다고 하니 두려웠다.

크루즈 배안에 있는 미국인 남자분이 한 분 있었는데 내 스타일이 아니었다. 아프가니스탄에 참전해서 머리에 큰 부상을 당해서 그 위로금으로 여행을 왔다는데 큰소리를 지르는 성격과 괄괄함이 별로였는데 그 사람은 쿠스코를 간다고 갈 사람은 모이라고 했다. 결이 맞지 않고 몸상태도 안좋았는데 역시 그 일행들은 배를 결국 못타고 겨우겨우 3일 후정도에 다른 기항지에서 탔다고 했다. 크루즈는 개인일정을 기다려주지 않는다. 여럿이 갔는데 돈을 아끼기는커녕 몇천만원씩 들었다고 하니 그것도 여행 적자날 뻔 했다. 어느정도는 계획적인 여행이 필요하다고 생각했다.

며칠전 태어난 김에 세계일주라는 프로그램을 봤는데 나도 너무 남미를 가고 싶었다. 결을 맞는 사람을 얼른 찾고 싶다. 남미는 너무 위험해서 자유여행은 결코 반대다. 여행에서는 안전이 최우선이기 때문이다.

페루는 할 이야기가 굉장히 많아진다. 내가 기대했던 부분이 컸고 늘 한 나라에 오면 시티투어와 현지투어에서 고민을 한다. 그런데 현지투어는 혼자온 나에게는 요르단처럼 좀 쎄해서 시티투어를 안전하게 선택하는 편이다. 페루도 시티투어를 하면서 피스코샤워도 먹어보고 호주친구랑 다음에 멜번에서 만날 약속을 하고 저녁에 배에서 한 잔 더 하려다가 안토니가 화를 내는 바람에 못했는데 아쉽다. 남녀관계는 친구가 될 수 없는 것인가 아쉬웠다. 커피숍을 하면서 만난 레이가 중국에서 한국으로 유학와서 호주가서 기자 생활을 한다는데 그러면서 멜번에서 석사를 한다고 했다. 같이 모이면 재미있을 것 같은데 남친은 너무 나를 구속한다. 난 자유로운 영혼이지만 적당한 타협은 필요하므로 남자친구는 되도록 안만나야겠다.

그래도 그덕에 피스코샤워를 먹고 내가 자주 갔던 호주를 추억하며 이야기했다. 즐거운 경험이다.

페루 쇼핑몰에서 집들이 용품을 샀다. 세련된 시티에 놀랐다. 우리가 보던 쿠스코는 그냥 쿠스코고 페루의 리마는 리마다.

Tip

피스코샤워는 계란흰자까지 넣어서 단백질도 충분한 술이라네요. 전 패션후르츠로 만든 것을 먹었어요. 지역마다 차이가 있다고 해요.

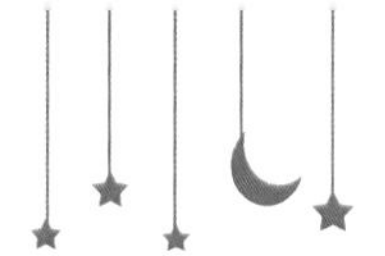

호주 미국처럼 큰 도시
시스템은 좋은 도시

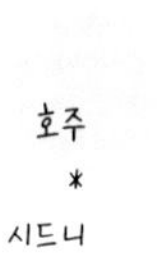

호주는 비엔나다음으로 내가 제일 오래 머문 도시이다. 호주의 지하철은 특이해서 어려웠지만 대단한 기술이라는 생각이 들었다. 우리처럼 고정된 지하철 노선이 아니라 타기 전에 확인해야 하는 시스템이라 발빠른 선진국의 모습을 보는 것 같았다. 호텔 근처를 돌아보고 커피도 마시고 호주의 특산품인(?)어그 부츠도 호주에서 샀다. 역시 현지가 저렴했다.

12사제 바위도 보았다. 말이 바위지 엄청 컸다. 전망대에서나 좀 보여진다고 할까? 거기서 한국까지의 거리가 나오니 새삼 고국이 그리워진다. 어쩌다가 한국은 가끔은 나의 눈물샘을 터트리곤 했다.

크루즈에서 만난 친구들 음.. 근데 머리카락이 없어서 친구인지 몰랐지만 아주 큰 저택이 있어서 오랬는데 나의일정이 너무 바빠 가지못해서 아쉬웠다.

크루즈를 거의 3달정도 갔는데 그때마다의 기항지가 시드니여서 간김에 나는 앞뒤로 한달씩 붙여서 머물곤 했다. 아주 큰 정원에 놀라고 거기만 돌아도 운동이 되어서 지금 생각해보니 멜번 친구는 그렇게 배안에서 뛰었나보다.

근처에 국립미술관도 있어서 공짜 도슨트를 못들은게 아쉽다. 가서 알았지만 조만간 출국이라 아쉬웠다. 내 기억에는 일주일에 한번이었던 것 같다. 하지만 코로나 이전이니 반드시 다시 알아보고 가길 바란다. 국립미술관은 무료였다.

그리고 다른지역 박물관은 한적한 도시였는데 박물관에서 전쟁의 냄새를 모아서 맡을 수 있게 하는 방식이었는데 놀랐다. 아 시각도 그렇지만 후각도 엄청 중요하기 때문에 새로운 접근방식에 놀랐다. 와 정말 배울 것이 많구나. 내안의 생각의 변환점을 주었다. 잊지 말아야 할 전쟁이 누군가에게 기억되는 법은 다 다르리라.

호주에서의 레스토랑은 실패한 적이 없었다. 미국처럼 워낙 큰 나리이니 이민자들도 많고 해서 여러나라 음식도 있고 많은 것들이 잘 맞았다. 호주식 커피도 먹어보고 플랫화이트라는 커피인데 이름만 들으면 커피인 줄은 모르겠지만 워낙 유명해지니 이제 한국에서 볼 수도 있다.

생각해보니 호주는 바위가 많았는데 시드니 위편에 미술관으로 둘러 쌓인 곳은 걸어서 운동삼아도 많이 갔다. 난 미술관을 좋아해서 하루종일 살다시피했다.

지방쪽으로 가서 유명한 살라망가마켓을 갔지만 우리나라 동묘느낌이라 전통은 있지만 음,,,살거는 별로 없었다. 시드니 안에서 여러 쇼핑몰이 오히려 나에게는 득템의 장소였고 이솝 핸드크림을 거의 삼분의 일가격에 사고 그리고 백화점들을 구경하고 헬렌카민스킨 자외선 차단모자도 샀다. 난 자외선 차단을 아주 중요시하게 생각했기 때문이다. 우리나라에는 아직 입점이 되지 않아 겨우 샀는데 다행이었다. 디저트 종류도 다양해서 많이 즐겼다.

호바트에 갔을 때 눈앞에 펼쳐진 보석같이 반짝이는 바다에 놀라 다시한번 바다에서 내 남은 여생을 살고 싶다고 생각했다.

Tip

호주는 늘 오래 머물러서 숙박비 절약을 위해 호스텔이나 게스트하우스에서 많이 지냈던 것 같아요. 혼숙이 많아 좋습니다!! 여행에서 라면스프와 누룽지는 잇템이다. 없으면 살아 갈 수 없을 정도로 귀중한 것, 햇반은 몸에 그닥이기도 하고 누룽지는 뜨거운 물만 부으면 되니 편하고 부피도 작다. 도담누룽지라는 누룽지를 먹는데 내가 사회경제적 활동가로 활동한 곳이기도 하지만 취지와 의미가 좋은 사회적 기업이라 애용한다.

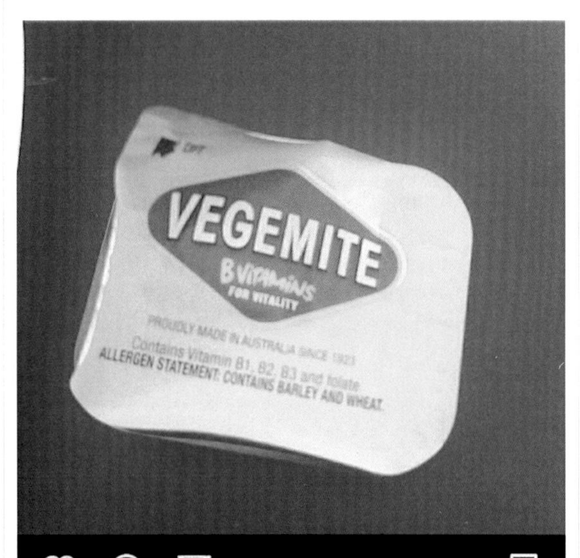
VEGEMITE
B VITAMINS
FOR VITALITY
PROUDLY MADE IN AUSTRALIA SINCE 1923
Contains Vitamin B1, B2, B3 and folate.
ALLERGEN STATEMENT: CONTAINS BARLEY AND WHEAT.

ansan_audrey님이 좋아합니다
mijin250 #아이스카빙 프룻카빙에 이어 이뿌당 지금 데크에 얼음 없던데.이거나 줬으면 베지소스 아무리 b군이 많아도 못먹겠다 초코렛인줄알았음 ㅜㅜ
2018년 6월 15일

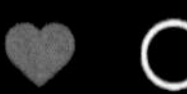

eileenryuu님 외 2명이 좋아합니다

mijin250

#아핸폰사진아더잘나오는거같았았아폰은왜그닥아지#보안필름으덮어놔서그런지#오징어모양놀아터랑#비치에서수영하려고했는데안하길다행엄청차갑다#호주미술관

2019년 3월 11일 오스트레일리아 Ne

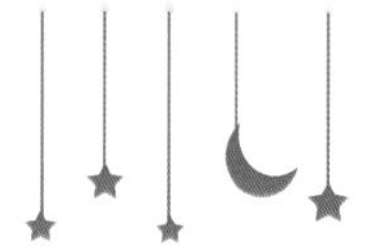

이스타섬, 날씨요정아 도와줘~

이스타섬
(칠레 서쪽 남태평양에 있는 섬)

이스타섬은 모아이석상이 있는 것으로 유명한 곳이다. 덩그러니 그것만 있다는 이야기를 들어서 그린란드 같으면 어쩌려나 걱정이 되었지만 내 일생 일대의 순간이 놓쳐졌다. 기상악화로 배가 닿지도 못한 것이다. 보너스같이 수에즈운하를 건넜을 때도 신기했는데 보너스를 놓친 것만 같아서 아쉬웠다. 요즘 날씨요정이라는 말이 괜히 나온 것이 아닌 것 같았다. 나름 잘 따라와주는 날씨였는데 아쉬웠다. 다음에 다시 크루즈로 오라는 소리로 듣고 난 다시 크루즈를 떠나기 위해 준비하고 있다. 예전에 가르쳐 줄 것이 있으면 여행비용을 지불한다는 분도 봤는데 혼자가도 크루즈는 호텔처럼 2인분을 내야하니 말이다. 이런 부분도 잘 알아보아서 찾아보시길 바란다. 노력뒤에 멋진 성공적인 여행이 남는 것일 테니 말이다. 뉴질랜드 이후에 몸의 상태가 좀 나빠져서 못내릴 수도 있었지만 내가 안간 것이 아니라 못간 것이라 아쉬움이 남았다.

Tip

미리 날씨도 다 알아보고 크루즈신문이나 하나투어에서 준 가이드라인이 있었지만 변화무쌍하니 우비도 챙기시고 기도를 드려서 꼭 보세요. 전 전날 솔직히 못나갈뻔 했어요. 아팠거든요.

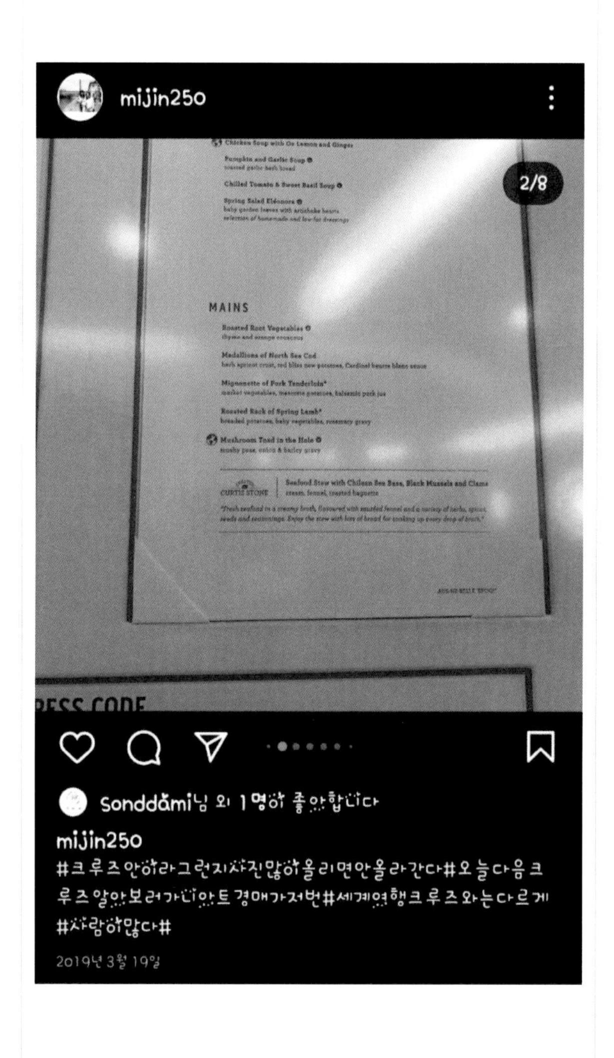

mijin250
2/8
Chilled Tomato & Sweet Basil Soup
MAINS
Roasted Root Vegetables
Medallions of North Sea Cod
Mignonette of Pork Tenderloin*
Roasted Rack of Spring Lamb*
Mushroom Toad in the Hole
CURTIS STONE
Seafood Stew with Chilean Sea Bass, Black Mussels and Clams
Sonddami님 외 1명이 좋아합니다
mijin250
#크루즈안이라그런지사진많이올리면안올라간다#오늘다음크루즈알아보러가니아트 경매가저번#세계여행크루즈와는다르게
#사람이많다#
2019년 3월 19일

92 일차 2018-09-03 (월)

이스터 아일랜드

[08:00] 씨프린세스호는 칠레의 이스터 아일랜드에 도착합니다.
※ 기항지 선택관광에 참여하시거나 즐겁게 자유시간을 가지시기 바랍니다. 일일 안내지를 통하여 프로그램s
객실로 전달되며 승객의 취향에 맞는 프로그램에 참여하여 즐거운 시간을 보내시기 바랍니다.

조식 (선내식)

이스터섬(Easter island)
세계에서 가장 고립되어 있는 신비의 섬

칠레의 서부 해안에서 약 3,700 km떨어진 곳에 위치한 이스터 섬은 전세계의 어느 섬보다 내륙에서 가
떨어진 섬이다. 또한 이곳은 지구상에서 가장 신비스러운 장소로 아직까지 풀리지 않는 수수께끼의 역시
고 있다.

이곳의 면적은 117㎢밖에 되지 않으며, 육지와는 비행기로 5시간 이상을 가야할만큼 멀리 떨어져 있다.
곳의 역사가 남미 사람들에 의한 것이라는 상당한 근거가 발견되고 있으나, 원주민들은 폴리네시안으로
고 있다.

이섬의 원래 이름은 폴리네시아어인 Rapa Nui이다. 수세기동안 바깥 세계와는 격리되어 있으면서 Rap.
람들은 그들만의 독특한 문화를 발전시켰다. ...

중식 (선내식)

[19:00] 씨프린세스호는 영국령의 핏케언아일랜드를 향해 출항합니다.
※ 크루즈 출항시간은 변경될 수 있으므로, 하선전 출항시간 및 재승선 마감시간은 재확인하시기 바라며, 출힝
는 재승선을 완료할 수 있도록 도착하시기 바랍니다.

석식 (선내식)

씨 프린세스
SEA PRINCESS
TEL. /

[조식]선내식

[중식]선내식

[석식]선내식

3 일차 2018-09-04 (화)

뉴질랜드 건강이 최고다~

뉴질랜드
*
웰링턴

뉴질랜드는 크루즈 신문에 나오길 다섯시에 문을 일제히 닫는다고 했다. 어제부터 몸이 좋지 않았는데 아니나 다를까 일어날 수가 없었다. 하루를 쉬려고 하자 남자친구가 그래도 나가보라고 해서 음식도 사올겸 나갔다. 와이모아동굴과 시티투어로 고민했었는데 몸이 아프니 고민도 소용이 없었다. 그냥 근처에서만 돌아보기로 결정했는데 몸이 안좋아 서너시정도에 나가자 진짜로 문이 다 닫혔다. 칼같군. 저번 코로나 창궐시기에 뉴질랜드는 잘지켜졌다고 했는데 철두철미한 점 때문인 것 같았다. 국민성인가보다.

좀 더 멀리 나갔더니 다행히 중국레스토랑은 문을 열었다. 음식을 주문해서 포장한 뒤 커피 한 잔을 하려고 건너편 커피숍으로 갔는데 십분있으면 문을 닫는 다고 했다. 자기의 시간을 철저히 지키고 저녁있는 삶을 사는 모습이 부러웠다. 커피를 재빠르게 테이크아웃을 하고 다른 길로 돌자 음.,, 문연 곳들을 발견, 가방을 득템했다. 디자인이 남다르다.

아직도 잘 메고 다니는 걸 보니 딱 내 스타일인가보다. 쇼핑이 기운을 돌게 했다. 포상된 음식을 아끼고 다른 음식을 먹고 가려고 했는데 식당 안이 꽉차있었다. 다들 크루즈안의 무료음식이 질리나보다. 음...조리사 분들도 로테이션이 되면 좋은데 말이다. 거의 양념도 같으니 다이어트 하실 분들은 크루즈 가보시길 추천한다. 십킬로가 빠졌다. 지금도 건강상의 이유로 다시 찐 십킬로를 빼야하는데 크루즈 일정은 이미 차서 대기를 해야한다고 한다. 다들 각자의 삶이 치열하다.

Tip

여기서도 도전하는 자세가 필요하다. 많은 가게가 닫지만 그래도 실낱같은 희망이 있다. 그리고 상비약을 꼭 챙기고 난 전기담요도 챙겼다. 물론 멀티아탭터도 말이다. 다리미는 크루즈 배안에서 뺏기고 내 전기물 끓이기 주전자도 뺏겼다가 다시 받아왔다. 다행이다. 이건 배마다 규칙이 다를 수도 있으니 많은 준비를 해서 가시길 뺏기더라도 다시 받을 수도 있기 때문이다. 처음에는 겁을 주는데 3달 여행에 어찌 저것들이 안필요할까, 사수하자.

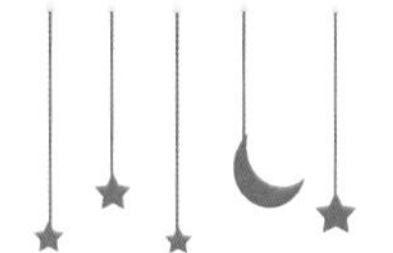

터키, 파묵칼레를 다시 가야지!

터키
*
이스탄불

대학원 때 유럽여행은 터키에서 경유해서 런던으로 인하였다. 터키의 칼라호텔에서 묵었는데 유럽권은 호텔이라고 해도 오래되어서 나무 엘리베이터가 있는 곳도 있어서 구경하는 재미가 쏠쏠하다.

난 냄새에 약간 민감한데 다들 모여서 늦은 저녁을 시장에서 먹었다. 터키니깐 꼬치를 먹었는데 내가 양고기를 아직도 못먹는 이유가 나온다. 좀 질이 낮아서 그런가? 모르겠다. 냄새를 맡고 토할 뻔하고 먹지 못했다. .남앞에서는 내색은 하지 않지만 죽을 맛이다. 그 뒤로 난 양고기를 전혀 못먹는다. 트라우마에 걸린 듯하다. 역시 입이 고급이었어. 다른 나라에서 빵말고는 못먹는 음식이 많아서 고생했다. 그래도 경험하는 즐거움이 더 크기 때문에 난 여행을 끊을 수 없고 라면스프를 늘 챙긴다.

많은 인원으로 모스크를 구경도 못하고 학교언니들

과 이야기 꽃을 피우고 저녁이기도 해서 펍에 가서 가볍게 맥주를 했다. 작년까지만 해도 술을 싫어했는데 맛이 없어서 그랬던 것이다. 만들어 먹고 수제맥주를 먹으니 이제 술이 좋다. 역시 입이 문제였다. 다행히 수제맥주나 와인도 종류가 많아져서 다행이다. 숙취해소 젤리까지 나오니 금상첨화다.

터키를 가서 모스크를 못봤다면 갔다고 해야하나 라는 논쟁이 벌어졌지만 우린 엄연히 터키땅을 밟았다. 그리고 나라의 핵심이 시장도 다녀왔다.

다음에 터키를 간다면 이제 이름이 바뀌어서 틔르키예지만 파묵칼레를 꼭 가고 싶다.

좀 더 다양한 프로키를그램이 있는 것이 크루즈여행의 장점이고 대학원에서 갈 때는 그냥 유명한 유적지위주로 돌았다. 시간이 없긴하다. 점차 여행이 진화되고 혼자 떠난 여행에서 미리 요리클래스도 예약해서 배우곤 했다. 호주에서도 와인공장 투어도 그러했는데 그런 체험형이 오래되고 기억에 남는다.

Tip

경유를 할 때는 정말 시간이 없으니 혼자가시는 것을 추천해요. 다같이 갔다가 느려지고 많이 싸우는 것을 봐서요. 그래서 경유는 여행초보자들은 선택하기 힘들 것은 같아요. 그리고 경유할 때 게이트는 계속 재확인을 해야해요. 늘 처음에는 한국말이 나오는 대한항공, 아시아나 위주로 탔다가 다양한 항공기를 경험하고 싶어서 다양한 국적기를 타는 것도 여행의 재미였는데 특히 경유는 사람들이 별로 없어서 게이트가 자주 바뀌긴 해요. 우리나라처럼만 생각하면 안돼요. 전 저가항공은 라오스갈 때 딱 한번 타봤는데 단체여행은 비행기 지정이 별로 안되니깐요. 저가항공도 변화가 많다고 들었지만 기내에 떡볶이랑 닭강정도 팔아서 전 좋았습니다. 아무래도 앞으로는 자주 탈 것 같아요. 짧은 내 생각으로 와인은 코르크마개가 있는 것이 묵직하고 알콜맛이 덜 나는 것 같아요. 마개를 트위스터로 따는 것은 발효도 덜 되었고 별로였으니 참고해주길 바래요. 그리고 다들 아시겠지만 기우로 페일이라는 것은 흐린이라는 뜻의 영단어로 맛이 흐려서 약해서 내가 좋아하는 종류예요. 커피도 진한 것이 싫고 술도 그러하다.

mijin250
1/10
mong_mong_e_house님 외 3명이 좋아합니다
mijin250
#와인공장#이번호주에서는멜번초콜렛공장투어해야지#안토니
에게묻지않았다면올버니에서찾을뻔#역시실시간업데이트의중
요성을깨달음#박물관에서사진도찍고이런박물관별로없는데#

mijin250
7/8
eileenryuu님 외 4명이 좋아합니다
mijin250 #호바트#살라망가마켓... 더 보기
2019년 3월 16일

mijin250

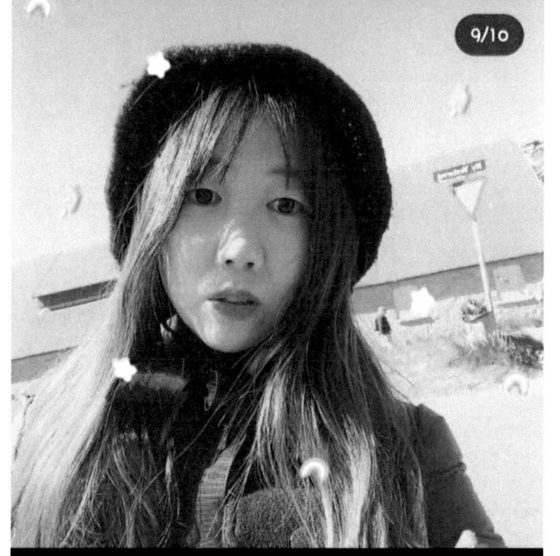

myororoRo님 외 3명이 좋아합니다

mijin250 #그린란드는 빙하만 멋있다. 아일랜드에서도 안보였던 아이리쉬커피를 그린란드 콰토도록에서 보고 역시 술이 들어가서 별로 못먹고 카페마저도 만석 도시에 하나밖에 커피숍이 없다니 그나마 호텔이라서 그런듯 아이슬란드는 힐튼계열호텔이라 대박이었는데ㅜ 여긴 별로다

2018년 8월 3일

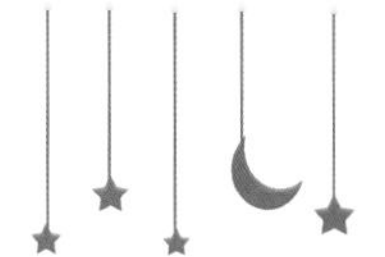

대만 지배방법의 다양성?

대만
*
타이페이

대만도 자유여행으로 갔다. 역사적 지역이나 자연환경이 특이한 곳으로 가고 싶었지만 시간이 없어서 시티투어를 했다. 우리나라는 대부분 버스를 타면 정반대에서 타면 다시 원점으로 가는데 (이것은 거의 서울만 그러한 듯하다. 안그런 곳도 있다는 것을 수도권을 와서 알았다. 역시 경험을 해야한다.) 신도시들은 아닌 경우도 있는데 대만까지 가서 그런 모험을 하고 싶지 않았다. 게다가 좌석버스는 잘못 갔다가는 다음 비행시간까지는 돌아오기 어려울테니 공항 주변에서 노는 것이 맞다. 카타르 공항은 경유프로그램이 좋았는데 밀쿠폰도 주고 말이다. 대만은 아직 그때까지는 그런 것이 없었다.

대만에서 시티투어를 하면서 재미있었던 것은 가지각색의 빙수였다. 팥빙수, 딸기빙수, 메론빙수 정도에만 익숙했는데 수수빙수와 각종 견과류와 곡물빙수에 놀랐다. 정말 한끼 식사가 될줄이야.

그래도 경유프로그램에서 박물관을 신청해서 대만의 역사에 대해 배웠다. 실상 대한민국에서는 대만에 대해 자세히 배우지 못해서 다 처음 듣는 말이었다. 심지어 일본의 지배를 좋아했다는 가이드님의 말씀.

시대적 배경이 우리나라를 지배하고 나서 강경하게 해서 저항을 하자 나름 힘들었던 일본은 대만에서는 회유책을 썼던 모양이다. 난 그래도 싫을 것 같은데 존재론적 부정이 아닐까? 잘해준다고 하나의 인격체나 독립국가로 인정해주지 않는 것은 비참할 것 같다.

교육학에서 누군가에게 다해주는 것은 안된다. 그사람이 스스로 깨닫고 독립적으로 혼자 할 수 있을 때 교육의 완성이라고 나는 생각한다.

그래서인지 우리 아빠의 교육관에 다시한번 박수를 보낸다. 자식이 많아서 저절로 독립적으로 키우셨겠지만 말이 쉽지 어려운 부분이다. 자식을 소유물로 보는 유교적 교육관에서도 그 옛날분이 탈피하시다니 대단하시다. 언제나 말로 아닌 글로서 나를 지지해주셔서 감사하다. 공부하지 말라는 부모를 주변에서 본 적이 없다고 한다. 건강이 제일 중요하다는 부분을 실제로 실천하시 분이다. 존경스럽다. 그래서 나의 마음 속에 언제나 살아계시는 것 같다. 그리고 내가 다시 공부에 도전할 수 있게 한 원동력이기도 하다.

가이드님께서는 나이가 지긋하신 분이셔서 개인의 의견이니 다를 수도 있지만 다양한 관점에 대해서 설명해주셔서 재미있었다. 그리고 자꾸 "김지"라고 하셔서 무엇인가했다가 그것은 "김치"였다. 나름 한국에서 왔다고 아는 체를 해주신건데 음.. 마지막에 알아 들었다.

외국에 나가면 발음은 상관이 없다. 계통도 다르고 개인적 특징도 더해져 한 삼십분이상을 이야기해야 진짜의미를 알게 된다. 발음이 별로라고 쫄지 말자. 다 별로다. 그래서 요즘 토익시험에 다양한 인종의 영어 발음이 문제로 나오나부다 싶다.

텍스트가 중요하다는 것을 느꼈다. 그보다 진심일 것은 같다.

Tip

발음에 쫄지말자. 나랑 다 똑같다고 보면 된다. 여행에 자주 쓰이는 단어를 알고 가고 요즘은 번역기가 있기 때문에 한두어번 여행가서 시스템을 알면 더 자신감 뿜뿜이 된다는 사실!

아일랜드 코흐, 보석같은 곳

아일랜드
*
코흐

네팔처럼 그냥 지날칠 뻔한 여행지지만 지금 생각해 보면 다시 가고싶은 2위의 행선지가 되었다. 이렇게 보면 보석같은 여행지를 발견하는 재미가 여행의 묘미가 아닐까?

배에서 내리자 형형색색의 아기자기한 2층집들이 눈에 들어온다. 내가 원하는 스타일인데 싶어 자석처럼 끌려서 따라가다 보니 리멤버라는 단어가 눈에 들어온다. 몰랐는데 여기가 타이타닉호가 가라앉았을 때 제일 가까운 도시여서 많이 구조를 도와준 동네라고 한다. 이런 것은 처음 들어본 일이다. 여러 가지 조형물을 세워 잊지 않고 기억하라는 의미였다. 나도 배를 타고 왔는데 지우기 힘든 아픔이 세월호때처럼 솟아난다.

예뻤던 집에 대한 감상을 뒤루 하고 묵념해본다. 나도 크루즈를 타면서 거의 목숨을 걸었다. 그러한 긴장으로 배타기 전에 몸이 베베 꼬여서 무서웠지만 항해했다.

도전! 내가 정말 좋아하는 단어이다. 내가 살아있는 한 도전은 멈추지 않는다.

코흐! 내가 꼭 다시 올게. 아이랜드로 어학연수를 생각했지만 한국으로 오니 그동안 못한 일들이 산더미라 가지 못했다. 이제 미국 박사과저을 준비하면서 중간에 다시 꼭 다녀오리라 다짐한다.

아일랜드에서 오히려 아이리쉬커피를 못먹고 시장 구경을 했다. 시장에서 멋진 아저씨가 감자를 파는데 순간 드는 생각이 아일랜드의 감자사건이다. 역사적으로도 유명한 사건인데 아일리쉬 포토이토를 여기서 직접 보다니 감회가 새롭다. 이래서 내가 여행을 못끊는다. 벅찬 감동이 늘 나를 감싸는 느낌!

늘 나에게 느낌표로 채워주는 여행! 감사하다.

Tip

같은 팀내에서 택시를 타고 다니신 분, 기차를 타고 가까운 근교로 나가신 분 다양한데요. 거의 내려서 정해지는 경우가 많아요. 나라마다 다 다르니깐요. 밤에 크루즈 신문이 오면 꼭 확인하고 그리고 미리 크루즈내 당일 투어 프로그램 신청데스크가 있으니 그전에 신청하시고 또 그 투어프로그램 티켓을 따로 보내주면 챙겨서 당일에 내려가시면 됩니다. 모이는 장소도 써있고 출발하더라구요.

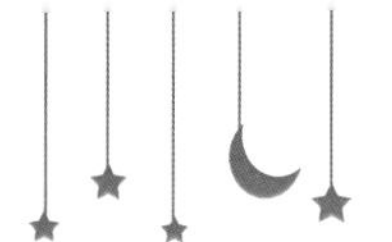

태국 황금사원의 찬란함

태국
*
방콕

태국도 학교에서 다녀왔다. 역시 학교는 배움의 천국이다. 황금빛 사원은 나에게 충격으로 다가왔다. 커피숍할 때 만난 태국인 동생은 태국에 대해 여행보다 더 많이 내게 알려주었다. 우리가 생각하는 어두운 색의 태국인들은 관광지에 종사해서 물놀이하면서 탄 것이고 실제로 본 내 태국친구들은 나보다 하얀 친구들이다. 하나를 보면 열을 안다는 속담과는 달리 하나를 보고 전체를 파악하는 오류를 범하지 말아야겠다.

황금사원의 찬란함에 몸둘바를 모르겠고 그때만 해도 필름카메라시대라 사진 하나하나가 소중했다. 그때 마침 깔마춤으로 노란색옷마저 입어서 친구들과 사과나무찾기 놀이를 했다. 지금 생각해도 너무 즐거운 추억이다.

그때도 물은 싫어 했는데 강제로 나름했던 교수님께서 쏘시고는 다해야했던 시절... 울고 있던 모습이 사진에 박제되어 있다. 그 시절만 해도 다 자장면시킬 때 유일하게 볶음밥을 시켜서 눈총을 받았지만 아무것도 모르던 순진한 시절이었다.

태국에서 본 식용 쥐고기의 충격은 문화상대주의를 이해하는 나였지만 벅찬 부분이었고 여행이긴 삶이긴 음식이 최고로 중요하다고 생각하게 된 계기가 되었다.

한나라의 문화를 이해하려면 역사와 더불어가 아니라 음식으로 시작해 문화가 형성되고 역사로 기록되는 것이 아닐까? 이번 팜유원정대를 보고도 많은 생각에 잠겼다. 태국에서 친구들과 다같이 음식을 먹으면서 내가 참 못먹는 것이 많고 비위가 약하다는 것을 깨달았다.

어렸을 때 그렇게 먹이려고 한 아빠가 문득 생각이 나면서 말이다. 지난 국내여행중에도 수업을 신청해서 들었는데 권위있는 영양학자분이 하시길 태초부터 먹을 것으로 인해 죽음의 위기를 많이 맞추친 인류는 탄수화물을 가장 안전한 식품으로 인식한 것이 유전자에 남아있다고 하여 나의 특이 단백질 기피현상이 이해가 되었다. 역시 사람은 배워야하고 아는 것이 힘이고 아는만큼 보이는 법이다.

태국사람들이 유하고 긍정적이라는 평가가 많다. 지리적으로 아주 깊숙이 숨겨진 태국은 반도국가인 우리와 달리 침략을 단 한번도 받지 않았다하니 지리적 위치의 승리라고 생각해야하나 싶다. 우리나라는 툭 튀어나온 반도국가이고 섬나라 일본의 야망의 다리가 되어 언제나 침략의 위기를 맞아 발전은 했지만 그 아래에 깔린 우리민족들.. 그 분들을 기억할 때이다.'

태국인 친구인 끼는 엄청 긴 이름을 가지고 있었고 그냥 줄여서 끼라고 부르라고 했는데 지금 잘지내고 있는지 모르겠다. 태국인으로 한국의 대학교까지와서 한국어전공으로 석사까지 할 정도면 엘리트가문인데 말이다. 내가 논문도 봐주기도 했는데 한국의 은장도문화가 이해가 안간다고 했다. 하긴 나도 이해가 안간다. 그냥 외워야하나 싶다. 안산의 열녀문 사거리를 택시를 타고 지나간 적이 있는데 나라의 보물이라는데 구시대의 유물아닐까 싶다. 어떤 사람이 해석하건 그건 자유다.

외국인에게 비친 은장도 문화의 재해석이 궁금하다. 왜 논문명도 안가르쳐주고 갔는지 모르겠다. 하긴 커피숍 바닥에 신문지깔고 잘 정도로 바빴으니 한국은 여유가 없다. 근데 난 그게 이제 익숙하다. 슬픈 일이다.

Tip

단체로 가면 가이드도 붙여주고 싼데 선택권은 없어요.

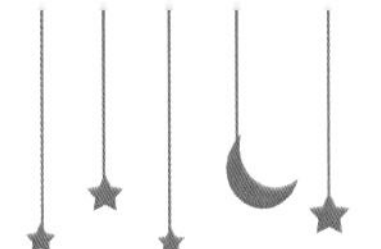

라오스, 블루라군을 못들어가다

라오스
*
비엔티안

갑자기 시간이 나서 여행사에 전화를 걸어서 가장 빨리 출발가능한 여행지를 물어서 간 곳이 라오스였다. 동남아는 더워서 좋아하는터라 좋았다. 라오스는 그닥 평소에 기대하지 않았지만 블루라군을 가고 싶었다. 늘 그랬듯이 싱글차지가 아깝고 조카에게 배움을 주기 위해서 같이 갔다.

같이 배도 탔다. 필리핀을 두 번째 갔을 때 학교언니랑 갔는데 높은 강을 오르는데 배모는 아저씨께서 너무 힘들어 보여서 마음이 아팠는데 라오스는 평평을 곳을 끌어서 다행이었다. 나보다 마르셔서 짠했지만 자기 일의 프라이드를 가지고 하시는 것이니 마음껏 즐겼다. 이런 것을 타면 팁을 거의 드리는 게 국제적 관례이다. 하지만 더 많이도 아니고 가이드님이 주라는 금액만 줘야지 아니면 변모한다고 하니 지킬 것은 지켜야겠다,

라오스 야시장에서 먹은 계란말이는 우리나라것과는 많이 달랐지만 맛있었다. 먹고 배가 아프긴 했지만 음식이 입에 안맞아 고생을 해서인지 맛있었다. 야시장 가운데는 우리나라 파리바게뜨도 있고 탐앤탐스도 있었다. 괜히 반가웠지만 난 지극히 현지 음료를 못먹어봐서 시켰다. 날씨가 따뜻해서 다양한 과일에서 오는 획일적이지 않은 음료수도 먹어보고 지난 필리핀 온천에서 먹었던 녹색망고주스를 거뜬히 넘어선 맛이다.

조카는 그곳에 놀러온 친구와 놀고 나는 야시장을 구경했다. 마지막에 같이 야시장에 가서 둘째조카의 옷이랑 신발을 샀다. 또다른 시장에서 아이스크림도 먹고 핑크색 계란을 보고 놀라웠다. 말이 통하지 않으니 답답해서 그 용도를 아직까지 모르고 있다.

어느나라에나 있는 개선문을 보고 동남아인데도 추워서 나는 블루라군에 못들어갔다.

Tip

예전 인도여행할 때 이상하게 대한항공을 타면 배탈 대비약을 가져가야한다고 했는데 무슨 논리인지는 모르겠다. 예전에는 안그랬는데 요즘은 잘못 먹으면 설사를 해대는 통에 음식 조심을 하는 편이다. 날씨가 더운 나라는 음식도 금방 상하니 조심하자.

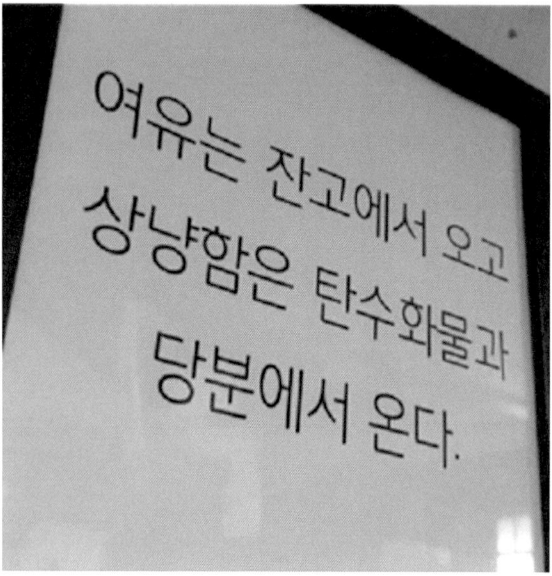

여유는 잔고에서 오고
상냥함은 탄수화물과
당분에서 온다.

PROLOGUE

에필로그

사람마다 취향은 제각각이다. 참고하시기 바란다. 다좋다고 해도 자기가 싫으면 그만이다. 평양감사도 제 싫으면 그만이라고 하지 않던가?

우선 크루즈 프로그램은 많지만 음.. 세계여행크루즈는 대부분 은퇴한 연장자분들이 요양원에 있는 것보다 저렴하고 재미있게 돌아다니는 사람이 대부분이라 연장자분들을 위한 프로그램이 많다. 국적도 다르니 문화도 달라서 자기 입맛에 맞는 것은 찾기 어려울 수도 있다. 그래서 난 한국에서 그동안 열심히 일하느라 못본 드라마를 하드디스크에 엄청나게 많이 다운받아갔다. (어떤 나라는 접속도 안되고 느려서 미리 다운받아 가는 것을 추천한다.)책도 가져가고 사이즈와 부피, 무게를 줄이기 위해 미니책으로 가져갔다. 운동을 꾸준히 했는데 수영도 하고 헬스장에서 바다 야경을 보면서 트레드밀도 뛰었다.

아는 분이 댄스를 오픈해서 매번 오라고 했지만 난 한번도 가지 않았다. 나와 맞지 않았다. 국적이 미국인이라 그런지 크루즈 안에서도 무엇인가를 만들어서 하는데 난 혼자 지내는 것도 좋아하고 연애를 해서 바빴다. 아무도 모르는 비밀연애여서 좋았지만 여러 가지 사정으로 헤어졌다. 애초에 안만났으면 좋았을텐데 라는 생각도 한다. 그러면 내 내면이 더욱 가득 찼을텐데 말이다. 연애하느라 지금 생각해보니 시간을 많이 버린 부분도 있고 다른 사람들과 만나지도 못했다. 약간 씨씨의 서러움을 느끼는 순간이다. 각자 원하는 대로 즐기시기를!

난 그나마 그림수업이 맞았는데 그림도 가르쳐본 적이 있는 나로서(미술교습소도 했었다.) 색칠만 간단히 해서 그냥저냥 한 두 번정도 갔다. 거기 선생님들도 크루분들이 많아서 친목을 위해 가는 것도 방법이다. 하루종일 밖에서 놀면 힘들어서 거의 못하기도 했지만 바다에서 일주일씩 머무르는 기간이 있는데 그 때는 다양한 프로그램을 해보는 것도 좋다. 나는 커피쿠폰이 저렴해서 그것을 사서 여행 내내 먹었다. 아이스크림도 있었다. 매번 크루즈안에서만 먹어서 약간 질리는 것도 있었다. 나가면 무조건 사먹었다. 맛을 하나씩 남겨두었다.

그냥 바다만 바라보아도 좋다. 크루즈 꼭대기에는 수영장이 2-3개 있고(자쿠지를 포함해야할지 모르겠다.) 큰 화면도 있어서 영화도 틀어주는데 영화를 보는 날은 혼자봤다. 아무도 갑판으로 나오지 않아서였다. 가끔 카빙쇼도 눈앞에서 라이브로 한다. 그럴 때는 다들 웅성거리니 주변이 소리에도 귀기울이면 좋다. 그리고 무료 레스토랑에서 특별한 날이나 직접 만드는 이벤트를 하면 이탈리아 데이라든지 아시아로드라든지 그러면 새로운 음식도 만날 수가 있다.

6/9
Summer
eys.brow님 외 2명이 좋아합니다
mijin250 #엄빠딸여행 너무 행복한 하루~그래도
하늘이랑 젤 가까운 곳에 있어서 행복하다
2018년 6월 24일

7/7
eys.brow님이 좋아합니다
mijin250 #이탈리안데이 근데 넘 짜다 ㅜㅜ 고혈압생기겠어;
레몬첼로도 쏘렌토링 다르게 알콜도수가 다르다 으악
2018년 6월 19일

3/3
eys.brow님과 ansan_audrey님이 좋아합니다
mijin250 #비치발리볼 구경 오늘 프로그램은 볼게 하나도 없군 ㅜㅜ 바다나 실컷보자~
2018년 6월 18일

mijin250
1/4
Summer
atiwut2012님과 eys.brow님이 좋아합니다
mijin250 #수영장 몸이 불어서 이제 나가야겠다 아침에는
그나마 사람없음
2018년 6월 18일

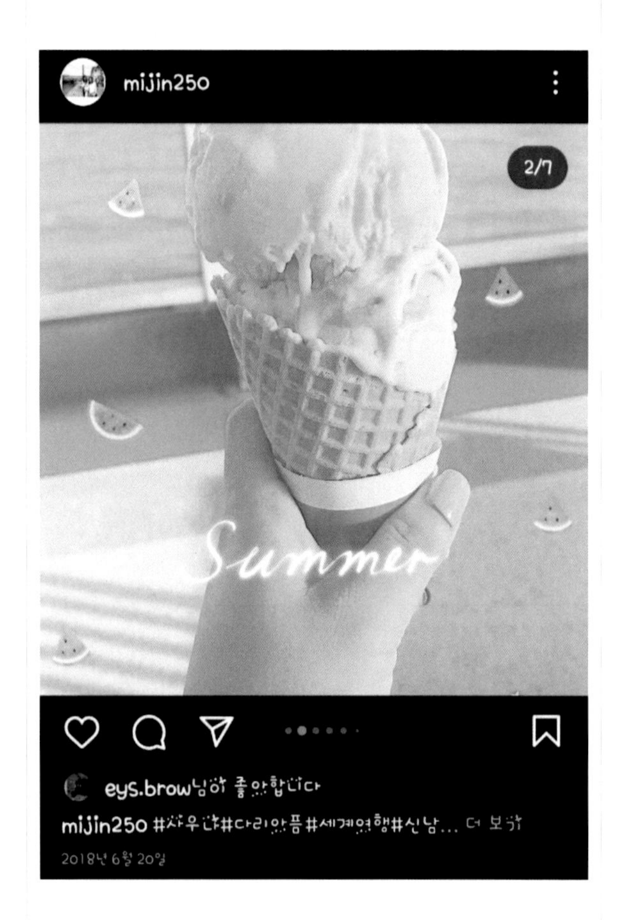
mijin250
2/7
Summer
eys.brow님이 좋아합니다
mijin250 #사우디#다리아픔#세계여행#신남... 더 보기
2018년 6월 20일

8/9
Summer
eys.brow님 외 2명이 좋아합니다
mijin250 #아빠딸이라서 너무 행복한 하루🤎~그래도
하늘이랑 젤 가까운 곳에 있어서 행복하다
2018년 6월 24일

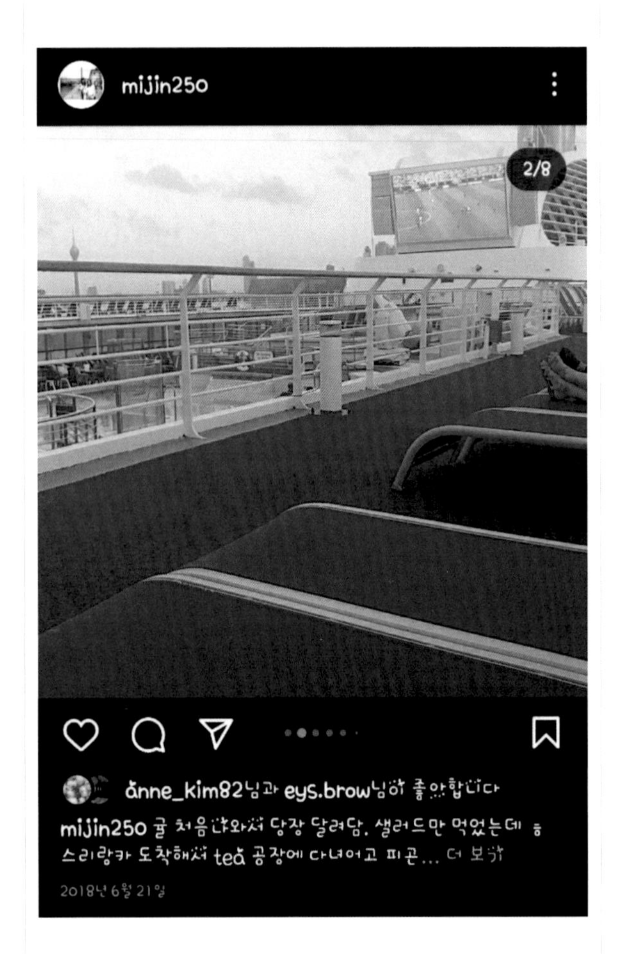
mijin250
2/8
anne_kim82님과 eys.brow님이 좋아합니다
mijin250 귤 처음나와서 당장 달려담. 샐러드만 먹었는데 ㅎ
스리랑카 도착해서 tea 공장에 다녀어고 피곤... 더 보기
2018년 6월 21일

NO.1 : 삶, 여행

발 행 2023년 4월 1일

지은이 사과나무
펴낸이 최지훈
디자인 서민경
펴낸 곳 나다움북스
이메일 chlwlgns012@naver.com
ISBN 979-11-981859-2-1 (03000)